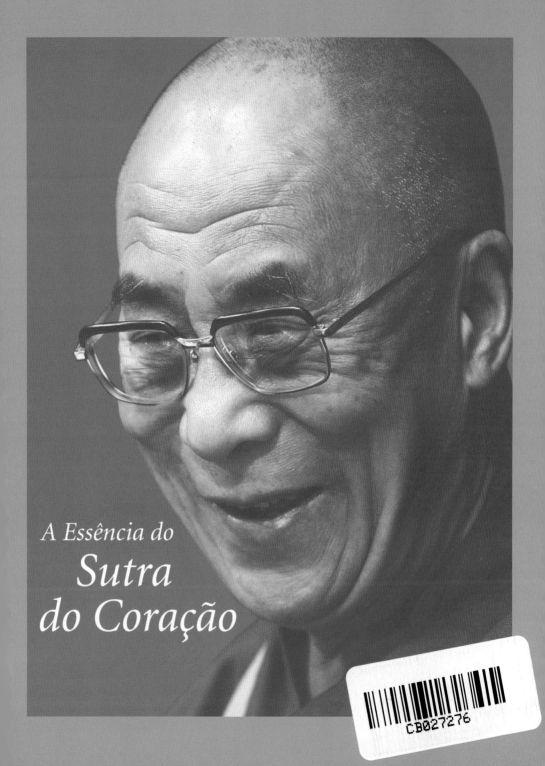

A Essência do
*Sutra
do Coração*

Sua Santidade o
Dalai Lama

A Essência do
Sutra do Coração

ENSINAMENTOS DO CORAÇÃO DA SABEDORIA DO DALAI LAMA

Traduzido e editado por GESHE THUPTEN JINPA

Tradução
LÚCIA BRITO

©2005 Tenzin Gyatso, the Fourteenth Dalai Lama
All rights reserved.
1ª Edição, Editora Gaia, São Paulo 2006
1ª Reimpressão 2016

Jefferson L. Alves – diretor editorial
Richard A. Alves – diretor-geral
Flávio Samuel – gerente de produção
Ana Cristina Teixeira – assistente editorial
Lúcia Brito – tradução
Ana Cristina Teixeira e Solange Gonçalves Guerra – revisão
Entrevista coletiva com o Dalai Lama no auditório do Bank Boston, São Paulo, em 26.4.2006. Foto de Jorge Araújo/ Folha Imagens – foto de capa
Reverson R. Diniz – projeto gráfico e editoração eletrônica
Eduardo Okuno – capa

O editor gostaria de agradecer a Richard Gere e à Gere Foundation por ajudarem a tornar possível a publicação deste livro.

Obra atualizada conforme o
NOVO ACORDO ORTOGRÁFICO DA LÍNGUA PORTUGUESA.

Dados Internacionais de Catalogação na Publicação (CIP)
(Câmara Brasileira do Livro, SP, Brasil)

Bstan-'dzin-rgya-mtsho, Dalai Lama XIV, 1935-.
  A essência do Sutra do Coração : ensinamentos do coração da sabedoria do Dalai Lama / Tenzin Gyatso, o 14º Dalai Lama; traduzido e editado por Geshe Thupten Jinpa; tradução Lúcia Brito. – São Paulo : Gaia, 2006.

  Título original: Essence of the Heart Sutra.
  Bibliografia
  ISBN 85-7555-086-1

  1. Budismo – Doutrinas 2. Compaixão (Budismo)
3. Dalai Lama – Ensinamentos 4. Sabedoria – Aspectos religiosos – Budismo 5. Vida religiosa – Budismo I. Thupten Jinpa. II. Título

06-3180   CDD-294.3923

Índice para catálogo sistemático:

1. Dalai Lama : Ensinamentos : Budismo tibetano   294.3923

Direitos Reservados
editora gaia ltda.
(pertence ao grupo Global Editora e Distribuidora Ltda.)
Rua Pirapitingui, 111-A – Liberdade
CEP 01508-020 – São Paulo – SP
Tel.: (11) 3277-7999 – Fax: (11) 3277-8141
e-mail: gaia@editoragaia.com.br
www.editoragaia.com.br

Colabore com a produção científica e cultural.
Proibida a reprodução total ou parcial desta obra sem a autorização do editor.
Nº de Catálogo: **2752**

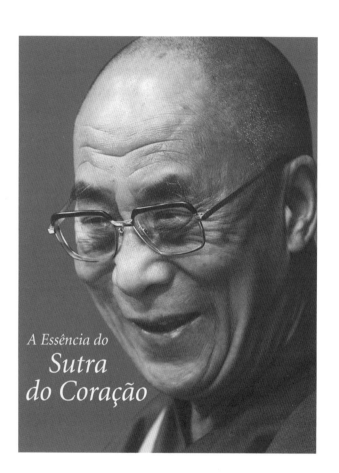

Sumário

Prefácio do Editor 11

Parte I – Budismo em Contexto

Capítulo 1: A Busca pelo Desenvolvimento Interior 17

Capítulo 2: Religião no Mundo de Hoje 21
Muitos Ensinamentos, Muitos Caminhos 21
Manter Sua Própria Tradição 24
Compartilhar as Tradições 25
Aprender com Outras Tradições 27

Capítulo 3: Os Fundamentos do Budismo 31
Características Específicas 31
O Buda 32
O Primeiro Giro da Roda do Dharma 34
Os Doze Elos da Originação Dependente 37
As Aflições 39
Abandonar as Causas do Sofrimento 43

Capítulo 4: O Grande Veículo 47
A Escola Mahayana 47

Nagarjuna e o Grande Veículo 48
As Origens do Grande Veículo 51

Capítulo 5: Liberdade do Sofrimento 53
Sofrimento e Compaixão 53
Integrar Todos os Ensinamentos 56

Parte II – O Sutra do Coração

O Texto do Sutra do Coração 61
Capítulo 6: A Abertura 63
Os Sutras da Perfeição da Sabedoria 63
O Título e a Homenagem 65
A Origem do Ensinamento 67
Essência e Forma 68

Capítulo 7: Entrada no Caminho do Bodhisattva 73
O Bodhisattva Avalokiteshvara 73
Nobres Filhos e Nobres Filhas 75
Natureza de Buda 77
As Coisas como Elas São 77

Capítulo 8: A Ausência do Eu 81
Bodhichitta Absoluta 81
A Doutrina do Não Eu 82
Os Quatro Selos 84

Capítulo 9: Interpretação da Vacuidade 91

Os Dois Tipos de Ausência do Eu..................91
A Interpretação da Mente Apenas..................92
Interpretações Definitivas *Versus* Provisórias..................95
A Interpretação do Caminho do Meio..................97
As Duas Escolas do Caminho do Meio..................99
Vacuidade e Originação Dependente..................101

Capítulo 10: Desenvolver uma Visão Inequívoca da Realidade.......103

Refutar a Existência Intrínseca de Forma Correta..................103
Entender as Duas Verdades..................104
Tradições de Interpretação..................108
Os Oito Aspectos da Vacuidade..................110

Capítulo 11: Atingindo o Resultado..................113

A Vacuidade de Todos os Fenômenos..................113
Nirvana..................114
O Mantra da Perfeição da Sabedoria..................116
O Significado Implícito do *Sutra do Coração*..................117
Regozijo Geral..................119

Parte III – O Caminho do Bodhisattva

Capítulo 12: Geração de Bodhichitta..................125

Uma Abordagem Gradativa..................125

O Método dos Sete Pontos de Causa e Efeito 126
Igualar-se aos Outros e Trocar a Si Mesmo Pelos Outros 128
Zelar por Si Mesmo *Versus* Zelar pelos Outros 129
A Prática de Dar e Receber 130
Geração de Bodhichitta 131

Posfácio 133

Apêndice 135
Elucidação Completa do Significado das Palavras:
Uma Exposição do "Coração da Sabedoria"
– Jamyang Gawai Lodro (1429-1503) 135

Notas 147

Bibliografia 155

Índice 157

Prefácio do Editor

A curta escritura budista denominada *Sutra da Sabedoria*, base dos ensinamentos de Sua Santidade o Dalai Lama apresentados neste livro, é um dos textos mais sagrados do Budismo Mahayana, o Budismo que originalmente floresceu na Índia, China, Tibete, Japão, Coreia, Mongólia, Vietnã e muitas regiões da Ásia Central, incluindo o que hoje é o Afeganistão. Por mais de dois milênios, essa escritura desempenhou um papel extremamente importante na vida religiosa de milhões de budistas. Foi memorizada, recitada, estudada e meditada por aqueles que almejavam obter o que o Budismo Mahayana descreve como a perfeição da sabedoria. Mesmo nos dias atuais, o cântico desse sutra pode ser ouvido nos mosteiros tibetanos, onde é recitado no característico tom de voz harmônico grave; em mosteiros zen japoneses, onde o cântico é entoado em sintonia com a batida rítmica de um tambor; e nos templos chineses e vietnamitas, onde é cantado em melodias suaves.

Frequentemente identificado por seu título abreviado, *Sutra do Coração*, a interpretação do significado sutil de várias passagens desse texto sagrado produziu numerosos comentários ao longo dos séculos. Na dissertação de Sua Santidade, ficamos frente a frente com a rica história de interpretação textual que existe em uma grande tradição espiritual como o Budismo. A exposição do Dalai Lama aqui documentada é tão ricamente tecida que este livro funciona de maneira eficiente como uma ampla introdução aos ensinamentos centrais do Budismo Mahayana.

A Essência do Sutra do Coração

Historicamente, o *Coração da Sabedoria* pertence à classe de escrituras budistas conhecidas como os Sutras da Perfeição da Sabedoria, os quais o famoso erudito europeu Edward Conze, que dedicou grande parte de sua vida em traduzi-las, sugeriu que tenham sido compostas entre 100 a.C. e 600 d.C.[1] Em nível superficial, as escrituras tratam do tema da perfeição da sabedoria, que enuncia o insight profundo sobre o que os budistas chamam vacuidade. Contudo, como pode ser visto tanto na dissertação do Dalai Lama quanto no comentário tibetano do século XV fornecido no posfácio, existe um nível de significado adicional, "oculto", no texto, relativo aos estágios progressivos de desenvolvimento espiritual que culminam na obtenção da iluminação plena. Além disso, os comentários também demonstram como o propósito altruístico de atingir o estado de buda para o benefício de todos os seres, que é o motivo fundamental da jornada espiritual de um budista Mahayana, está profundamente incrustado no significado do *Sutra do Coração*. Em outras palavras, o tema central dos Sutras da Perfeição da Sabedoria é a união aprofundada de compaixão e sabedoria.

Talvez, para um leitor não familiarizado com a tradição Mahayana, cause perplexidade que um texto como o *Sutra do Coração*, cuja mensagem tem como cerne uma série de declarações negativas, possa ser uma fonte de inspiração espiritual tão importante para tanta gente. Para dissolver a perplexidade é necessário ter algum entendimento do significado que a linguagem negativa desempenha nas escrituras budistas. Desde os primórdios de sua evolução, um dos ensinamentos centrais do Budismo tem sido conquistar a liberdade de nossa escravidão ao apego, em especial ao apego na crença de algum tipo de realidade duradoura, quer seja no mundo externo ou no mundo interno da existência pessoal. De acordo com o Budismo, a fonte de nosso sofrimento repousa em uma tendência profundamente arraigada de nos agarrarmos a realidades duradouras onde elas não existem, em particular de nos agarrarmos a uma noção do eu duradouro. É esse apego que dá origem à disfunção em nossa interação com os outros seres humanos e com o mundo ao nosso redor. Visto que essa tendência está de maneira demasiado enraizada na psique, nada, a não ser uma desconstrução radical de nosso entendimento ingênuo do eu e do mundo, pode nos conduzir à verdadeira liberdade espiritual. A negação categórica da existência intrínseca de todas as coisas, em especial dos cinco agregados pessoais no *Sutra do Coração,* pode ser entendida não só como uma extensão dessa sabedoria-chave budista, mas, de fato, como um exemplo supremo de tal sabedoria. Essa é a chave para a massiva veneração desse pequeno texto no mundo budista Mahayana.

Além de ser utilizado na contemplação meditativa da vacuidade, o sutra com frequência é entoado como meio de superar os vários fatores que impedem o progresso espiritual. É costume na tradição tibetana, por exemplo, recitar o sutra no começo de cada sessão de ensinamento. Lembro com ternura da sensação palpável de expectativa que costumava sentir na adolescência, quando o sutra era declamado pela enorme congregação de monges e leigos que assistiam aos ensinamentos do Dalai Lama em Dharamsala, na Índia, no começo da década de 1970. A recitação é concluída com a afirmação: "Possam todos os obstáculos ser evitados; possam não mais existir; possam ser pacificados", declamada ao mesmo tempo em que se bate palmas por três vezes. A ideia é que muito do que entendemos como sendo obstáculos, na verdade, provém do apego demasiadamente arraigado à nossa própria existência e ao autocentramento que isso produz. Ao refletir em profundidade sobre a natureza essencialmente vazia de todas as coisas, removemos quaisquer apoios para que os assim chamados obstáculos criem raízes dentro de nós. Desse modo, a meditação sobre a vacuidade, muitas vezes empreendida com base na recitação do *Sutra do Coração,* é considerada um método poderoso para superar obstáculos.[2]

Hoje, sinto-me muitíssimo honrado por servir de tradutor para a dissertação autorizada de Sua Santidade o Dalai Lama sobre esse texto budista sagrado. Sinto que, em meu humilde papel de tradutor do Dalai Lama, recebi uma preciosa oportunidade de fazer parte de uma nobre iniciativa para ajudar outras pessoas, em especial milhões de companheiros budistas no mundo inteiro, a valorizar os profundos insights incorporados nesse pequeno texto sagrado.

Existem muitas outras pessoas cujo desempenho foi crucial para o sucesso deste projeto. Antes de mais nada, gostaria de expressar minha enorme admiração por Sua Santidade o Dalai Lama, por ser sempre um exemplo grandioso da essência do ensinamento do Buda. Agradeço à Fun-

A Essência do Sutra do Coração

dação para a Preservação da Tradição Mahayana (FPMT), em especial a seu diretor espiritual, Venerável Zopa Rinpoche e seu centro, Terra do Buda da Medicina, por organizar os ensinamentos de Sua Santidade em Mountain View, na Califórnia, cujas transcrições compõem a base primária deste livro. O material suplementar provém de uma palestra sobre o *Sutra do Coração* proferida por Sua Santidade em 1998, patrocinada pelo Centro Three Rivers Dharma, em Pittsburgh, Pensilvânia. Agradeço a Patrick Lambelet pela edição inicial, a Gene Smith por localizar o texto tibetano do comentário de Jamyang Galo e a David Kittelstrom e Josh Bartok, editores da Wisdom Publications, cujo auxílio para tornar o texto desse livro claro e legível em inglês foi inestimável.

Que quaisquer méritos que por ventura existam neste empreendimento possam aliviar o sofrimento de todos os seres e possam nos ajudar a criar um mundo mais pacífico.

Geshe Thupten Jinpa, Montreal, 2002

Parte I

Budismo em Contexto

capítulo 1

A Busca pelo Desenvolvimento Interior

O tempo não para. A cada momento que passa, desde o instante de nosso nascimento, vamos nos aproximando do fim, de nossa morte. Essa é a nossa natureza e a natureza do universo. Como pessoas espiritualizadas, é fundamental nos checar e nos examinar constantemente para verificar como estamos vivendo cada momento de nossas vidas. No meu caso, a maior parte de minha vida já passou. Mas, embora seja um praticante preguiçoso de Budismo, posso ver que existe algum progresso em minha vida a cada ano. Acima de tudo, tento ser um seguidor genuíno do Buda Shakyamuni e um bom monge budista. Claro que mesmo monges budistas cometem erros em sua vida e prática, mas acho que ofereci alguma contribuição para este mundo que compartilhamos, em especial para a preservação da cultura do Budismo Tibetano.

Nas questões espirituais, não devemos nos dar por satisfeitos muito facilmente, pois na verdade não existe limite para nosso potencial espiritual. Todos nós podemos nos desenvolver infinitamente – qualquer um de nós; e qualquer um de nós pode atingir o estado de buda. A mente que possuímos neste instante, embora possa estar repleta de ignorância e sofrimento, um dia pode se tornar a mente de um ser iluminado, de um buda. No que diz respeito a nossos bens materiais, faz sentido encontrar satisfação. Mas, visto que não há limite para nosso potencial espiritual e sim um limite para a duração de nossa vida, devemos fazer todo o esforço para utilizar da melhor maneira possível qualquer tempinho que tenhamos durante esta preciosa vida humana.

A Essência do Sutra do Coração

Por sermos humanos, somos todos iguais. Nesse nível, nenhum de nós é um estranho. Não existem diferenças fundamentais entre nós. Vocês vivenciam muitas emoções; algumas delas ajudam, outras atrapalham. O mesmo vale para mim. Dentro de nossas experiências sempre cambiantes, estamos constantemente experienciando emoções diferentes – às vezes ira, às vezes ciúme, às vezes amor, às vezes medo. Vocês experienciam muitos pensamentos; vocês têm o potencial para analisar, investigar as perspectivas em longo e curto prazos para suas vidas. O mesmo vale para mim. Dentro de nossas experiências sempre cambiantes, todos nós experienciamos percepções diferentes constantemente – cor, odor, gosto, sensação, som, até mesmo a própria percepção. Essas coisas funcionam de modo similar em cada um de nós.

Claro que também é possível encontrar diferenças entre os seres humanos. Cada um possui vivências individuais que não são compartilhadas por todo mundo. Vocês podem ter grande habilidade com computadores, por exemplo, enquanto eu não tenho nenhuma. Da mesma maneira, visto que não tenho treinamento em matemática, posso ter grande dificuldade com determinadas atividades que são fáceis para vocês. Mas esses tipos de distinção na experiência individual são de pequena importância. Vocês e eu podemos manter crenças diferentes – sobre o universo, sobre a realidade, sobre religião. E, mesmo dentro de uma crença, dentro de uma tradição de fé, por exemplo, existem todos os tipos de diferença entre as pessoas. Mas diferenças de credo, do mesmo modo que divergências na experiência, são de menor importância se comparadas à nossa humanidade comum. O fundamental é que somos todos iguais por sermos humanos – pensando, sentindo e estando conscientes. Todos nós compartilhamos este planeta, e somos membros de uma única e grande família humana.

Também acho que algumas experiências humanas são universais. Quando alguém sorri para vocês, por exemplo, vocês se sentem felizes. Exatamente da mesma maneira, me sinto feliz quando vocês sorriem para mim. Tanto eu quanto vocês buscamos o que pensamos ser bom para nós, e evitamos o que pensamos ser prejudicial. Essa é a natureza humana básica.

No reino do mundo material externo, estamos cientes daquilo que é bom para nós e daquilo que nos prejudica. Então, com base em análise

A Essência do Sutra do Coração

cuidadosa e conhecimento claro, tentamos criar uma vida alegre, uma vida bem-sucedida, a vida feliz que todos sabemos que é nosso direito inato. De modo semelhante, no vasto reino de nossos pensamentos e emoções, precisamos de análise cuidadosa para desenvolver uma percepção clara do que é prejudicial e do que é proveitoso. Por isso devemos trabalhar para aumentar os elementos positivos de nossa mente e enfraquecer a força dos elementos negativos. Os elementos positivos aumentam nossa felicidade; os elementos negativos a diminuem. Assim sendo, um entendimento claro de nosso mundo interior é da máxima importância.

Uma vez que a felicidade não pode ser alcançada somente por meio de condições materiais, precisamos de outros instrumentos pelos quais possamos preencher nossas aspirações. Todas as religiões do mundo oferecem meios para o preenchimento dessas aspirações, mas acredito que tais instrumentos possam ser desenvolvidos independentemente de qualquer religião ou de qualquer crença. O que é preciso é reconhecer o imenso potencial que temos como seres humanos e aprender a utilizá-lo. De fato, hoje em dia, até na ciência moderna existe um crescente reconhecimento da relação entre o corpo e a mente, e está surgindo um entendimento sobre o impacto de nossas atitudes mentais em nossa saúde e bem-estar físico.

Uma faculdade muito importante que nós humanos temos ao nosso dispor para nos ajudar a encontrar a felicidade e superar o sofrimento é a nossa inteligência. Ela pode nos ajudar a superar o sofrimento e encontrar a felicidade, mas pode também nos causar problemas. Usando nossa inteligência, construímos casas e semeamos alimentos, mas por meio dela também criamos ansiedade e medo. Nossa inteligência nos dá a capacidade de lembrar o passado, e isso nos permite prever possibilidades para o futuro – tanto boas quanto ruins. Não podemos superar a infelicidade completamente apenas por meio do conforto físico; em última análise, a infelicidade criada pela inteligência humana só pode ser mitigada por ela própria. Portanto, é primordial que a usemos de modo adequado.

Para fazer isso, devemos conjugar nossa inteligência a um coração aberto, terno. Devemos trazer à nossa racionalidade um senso de compaixão, de cuidado mútuo, de compartilhamento. Essas qualidades mentais transformam nossa inteligência em uma poderosa força positiva. A mente torna-se mais ampla e mais espaçosa e, mesmo quando acontecem incidentes infelizes, o efeito sobre nossa formação é mínimo. Somos capazes de cuidar do bem-estar dos outros, e não apenas de nós mesmos. De fato, como seres humanos, somos animais sociais por natureza, e nossa felicidade, e até nossa sobrevivência, depende da interação e cooperação. Assim, quando emoções positivas guiam a inteligência, ela se torna construtiva. Um coração terno e compassivo é o alicerce para a paz mental, sem o que a mente estará sempre desconfortável e perturbada.

Ira e ódio destroem nossa paz interior. Compaixão, perdão, senso de fraternidade, contentamento, autodisciplina são as bases da paz – tanto da paz externa quanto da paz mental interna. Somente pelo fortalecimento dessas boas qualidades interiores pode-se obter uma paz genuína, duradoura. É a isso que me refiro como sendo desenvolvimento espiritual, o que às vezes descrevo como sendo desarmamento interno. De fato, acima de tudo, em todos os níveis de nossa existência – na vida familiar, social, profissional e política –, a humanidade necessita é de desarmamento interior.

capítulo 2

Religião no Mundo de Hoje

Muitos ensinamentos, muitos caminhos

Encontrar a verdadeira satisfação não depende de seguir qualquer religião específica ou manter uma crença em particular. Contudo, muitas pessoas buscam a satisfação na prática religiosa ou na fé. Quando permanecemos isolados uns dos outros, às vezes ficamos com imagens distorcidas das tradições ou crenças diferentes daquelas que defendemos; em outras palavras, podemos acreditar equivocadamente que nossa religião é de alguma maneira a única válida. Na verdade, antes de deixar o Tibete e ter contato mais próximo com outras religiões e outros líderes religiosos, eu mesmo tinha essas ideias! Mas enfim entendi que todas as tradições têm grande potencial e podem desempenhar uma função muito importante no benefício da humanidade. Todas as religiões do mundo contêm ferramentas para lidar com nossa aspiração básica de superar o sofrimento e alcançar a felicidade. Neste capítulo, vamos examinar esses instrumentos.

Algumas religiões possuem sofisticadas análises filosóficas; outras extensos ensinamentos éticos; outras dão grande ênfase à fé. Entretanto, se observarmos os ensinamentos das grandes tradições de fé do mundo, iremos discernir duas dimensões principais da religião. Uma é a que poderia ser chamada dimensão metafísica ou filosófica, que explica por que somos do jeito que somos e por que são prescritas certas práticas religiosas. A segunda dimensão refere-se à prática da moralidade ou disciplina ética. Pode-se dizer que os ensinamentos éticos de uma tradição de fé são as conclusões amparadas e validadas pelo processo de pensamento metafísico ou filosófico. Embora as religiões do mundo tenham grandes divergências em termos de metafísica e filosofia, as conclusões a que chegam essas filosofias divergentes – ou seja, seus ensinamentos éticos – mostram um grau elevado de convergência. Nesse sentido, podemos dizer que, a despeito de quaisquer explicações metafísicas que as tradições religiosas utilizem, todas chegam a conclusões similares. De uma forma ou de outra, as filosofias de todas as religiões do mundo enfatizam o amor, a compaixão, a tolerância, o perdão e a importância da autodisciplina. Por meio do compartilhamento, do respeito e da comunicação interpessoal e intercrenças, é possível aprender a estimar as valiosas qualidades ensinadas por todas as religiões, e os instrumentos pelos quais todas elas podem beneficiar a humanidade.

Dentro de cada caminho, encontramos pessoas verdadeiramente dedicadas ao bem-estar dos outros, movidas por uma profunda noção de compaixão e amor. Ao longo das últimas décadas, conheci um bom número de pessoas de tradições diversas – cristãos, hindus, muçulmanos e judeus. E, em cada tradição, existem pessoas maravilhosas, afetuosas, sensíveis – pessoas como Madre Teresa, que dedicou toda sua vida ao bem-estar dos mais pobres entre os pobres do mundo, e o Doutor Martin Luther King Jr., que dedicou sua vida à luta pacífica pela igualdade. É evidente que todas as tradições têm o poder de trazer à tona o melhor do potencial humano. No entanto, diferentes tradições usam diferentes abordagens.

Agora poderíamos perguntar: "Por que é assim? Por que existe tanta diversidade metafísica e filosófica entre as religiões do mundo?" Tal diversidade pode ser encontrada não só entre diferentes religiões, mas também *dentro* das religiões. Mesmo no Budismo – nos ensinamentos do próprio Buda Shakyamuni – ela existe. Nos ensinamentos mais filosóficos do Buda, verificamos que essa diversidade é bastante pronunciada; em alguns casos, as instruções parecem até se contradizer!

Creio que isso aponta para uma das mais importantes verdades a respeito dos ensinamentos espirituais: eles devem ser adequados ao indivíduo que está sendo ensinado. O Buda reconheceu entre seus seguidores diversos tipos de índoles mentais, inclinações espirituais e interesses, e viu que, para se adequar a essa diversidade, precisaria ensinar de forma diferenciada nos diferentes contextos. Não importa quanto um ensinamento específico possa ser poderoso ou quanto um ponto de vista filosófico seja "correto": se não for adequado ao indivíduo que o ouve, não tem valor. Assim sendo, um professor espiritual hábil julgará a pertinência de um determinado ensinamento para um determinado indivíduo e ensinará de acordo.

Podemos traçar uma analogia com o uso de remédios. Antibióticos, por exemplo, são imensamente poderosos; são valiosos no tratamento de uma ampla variedade de doenças, mas são inúteis na cura de uma perna quebrada. Uma perna quebrada deve ser colocada adequadamente no gesso. Além disso, mesmo nos casos em que a utilização dos antibióticos é de fato imprescindível, se um médico receitar para uma criança a mesma dose que daria para um adulto, a criança pode morrer!

Do mesmo modo, podemos ver que o próprio Buda – por ter reconhecido a diversidade de índoles mentais, interesses e inclinações espirituais de seus seguidores – deu ensinamentos de maneira diferenciada. Observando todas as religiões do mundo sob essa luz, sinto uma profunda convicção de que todas as tradições são benéficas, cada uma delas servindo de forma única às necessidades de seus seguidores.

Vamos olhar para as semelhanças de outra maneira. Nem todas as religiões postulam a existência de Deus, de um Criador; mas aquelas que o fazem destacam que o devoto deve amar a Deus de todo coração. Como poderíamos determinar se alguém ama a Deus de forma sincera? Com certeza, examinaríamos o comportamento e a atitude dessa pessoa em relação aos demais seres humanos, em relação ao restante da criação de Deus. Se alguém mostra amor e compaixão verdadeiros em relação aos irmãos e irmãs humanos, e em relação à própria Terra, acredito que podemos ter certeza de que essa pessoa demonstra verdadeiro amor por Deus. É claro que quando alguém realmente respeita a mensagem de Deus, estende o amor de Deus pela humanidade. No entanto, creio que é altamente questionável a fé de alguém que professa a crença em Deus, mas não mostra amor ou compaixão pelos outros seres humanos. Quando analisamos dessa forma, vemos que a fé genuína em Deus é um meio poderoso para se desenvolver as qualidades humanas positivas de amor e compaixão.

Vamos nos deter em outro ponto divergente das religiões mundiais: a crença em vidas passadas ou futuras. Nem todas as religiões afirmam a existência dessas coisas. Algumas, como o Cristianismo, admitem uma próxima vida, talvez no céu ou no inferno, mas não uma vida anterior. De acordo com a visão cristã, esta vida, a vida presente, foi criada diretamente por Deus. Posso muito bem imaginar que acreditar sinceramente nisso proporciona um sentimento de grande intimidade com Deus. Com certeza, ao estarmos cientes de que nossas vidas são criação de Deus, desenvolvemos uma profunda reverência por Deus e o desejo de viver inteiramente de acordo com seus propósitos, pondo em prática nosso potencial humano mais elevado.

Outras religiões ou pessoas podem enfatizar que somos todos responsáveis por tudo o que criamos em nossa vida. Esse tipo de fé também pode ser muito eficiente para ajudar a pôr em prática nosso potencial para a bondade, pois exige que as pessoas assumam total responsabilidade por suas vidas, com todas as consequências recaindo sobre seus ombros. Pessoas que pensam assim de modo verdadeiro vão se tornar mais disciplinadas e assumir inteira responsabilidade em praticar a compaixão e o amor. Portanto, embora a abordagem seja diferente, o resultado é mais ou menos o mesmo.

Manter sua própria tradição

Quando reflito dessa forma, minha admiração pelas grandes tradições espirituais do mundo aumenta, e posso estimar com intensidade o valor delas. É evidente que essas religiões atenderam às necessidades espirituais de milhões de pessoas no passado, continuam a fazê-lo no presente, e continuarão no futuro. Percebendo isso, encorajo as pessoas a manter sua tradição espiritual, mesmo que se interessem em aprender sobre outras, como o Budismo. Trocar de religião é um assunto sério, e não deve ser tratado levianamente. Uma vez que as diferentes tradições religiosas evoluíram de acordo com contextos históricos, culturais e sociais específicos, uma tradição pode ser mais adequada para uma determinada pessoa em um ambiente específico. Somente a pessoa sabe qual religião é mais conveniente para ela. Assim é vital não fazer proselitismo, propagando apenas a sua própria religião, afirmando que ela é a melhor ou a que está certa.

Nesse sentido, quando ministro ensinamentos budistas para ocidentais com outra formação religiosa, em geral me sinto um pouco apreensivo. Não é meu desejo propagar o Budismo. Ao mesmo tempo, é muito natural que, entre milhões de pessoas, algumas sintam que a abordagem budista é a mais adequada, a mais efetiva para elas. E, mesmo que uma pessoa se simpatize e chegue ao ponto de considerar a adoção dos ensinamentos budistas, ainda é muito importante examinar os ensinamentos e a decisão com cuidado. Só depois de pensar muito, refletindo e examinando, pode-se chegar à conclusão de que a abordagem budista é, no seu caso, a mais correta e efetiva.

Não obstante, acho que é melhor ter algum tipo de fé, algum tipo de crença arraigada, do que não ter nenhuma. E acredito firmemente que alguém que pensa apenas nesta vida e no ganho mundano simplesmente não consegue obter satisfação duradoura. Esse tipo de abordagem puramente materialista não trará felicidade que perdure. Quando jovem e em pleno gozo das faculdades físicas e mentais, uma pessoa pode se sentir completamente autossuficiente e no controle, e concluir que não é necessário ter fé ou entendimento profundos. Mas, com o tempo, as situações mudam; as pessoas ficam doentes, envelhecem, morrem. Esses fatos inevitáveis, ou talvez alguma tragédia inesperada que o dinheiro não consiga remediar, podem ressaltar a limitação dessa visão mundana. Em tais casos, uma abordagem espiritual, como a budista, pode se tornar a mais adequada.

Compartilhar as tradições

Neste mundo diversificado, com inúmeras tradições religiosas, é de grande valor para os praticantes de diferentes religiões cultivar um respeito genuíno, baseado no diálogo, pelas tradições dos outros. No começo desse diálogo, é importante que todos os participantes reconheçam de forma plena não apenas as muitas áreas de convergência entre as tradições de fé, mas, mais crucialmente, que reconheçam e respeitem as diversidades entre as tradições. Além disso, devemos analisar as causas e condições específicas que dão origem às diferentes tradições de fé – os fatores históricos, cultu-

A Essência do Sutra do Coração

rais, sociológicos, até pessoais, que afetam a evolução de uma religião. Em certo sentido, essas reflexões nos ajudam a perceber *por que* uma determinada religião surgiu. Então, tendo esclarecido as diferenças e as origens, olhamos as religiões de uma nova perspectiva, cientes de que filosofias e práticas religiosas divergentes podem ocasionar resultados similares. Ao entrar no diálogo intercrenças dessa maneira, desenvolvemos respeito e admiração verdadeiros pelas tradições religiosas dos outros.

Na verdade, existem dois tipos de diálogos intercrenças: os que acontecem em um nível puramente acadêmico, interessados em primeiro lugar nas diferenças e semelhanças intelectuais, e os que ocorrem entre praticantes autênticos de diversas tradições. Na minha experiência pessoal, este último tipo de diálogo tem sido de grande ajuda no engrandecimento de minha valorização das outras tradições.

O diálogo intercrenças é um dos muitos modos pelos quais podemos compartilhar as tradições uns dos outros. Também é possível fazer isso realizando peregrinações e jornadas a lugares sagrados de outras tradições – e, se possível, rezando ou praticando juntos, ou participando de meditação silenciosa em grupo. Sempre que tenho oportunidade, faço visitas como peregrino aos locais sagrados de outras tradições. Embuído desse espírito, fui aos templos de Jerusalém, ao santuário de Lourdes na França e a vários lugares sagrados na Índia.

Muitas religiões advogam a paz mundial e a harmonia global. Por consequência, outra maneira pela qual podemos valorizar as outras religiões é vendo os líderes religiosos reunidos e os ouvindo expressar os mesmos valores, no mesmo palanque, onde estão juntos.

Desmond Tutu, o bispo da África do Sul, apontou-me uma maneira adicional pela qual podemos compartilhar a força religiosa uns dos outros: sempre que ocorre um desastre ou alguma grande tragédia no mundo, pessoas de diferentes religiões podem se unir para ajudar os que estão sofrendo, mostrando, desse modo, o coração de cada religião em ação. Creio que essa é uma grande ideia; além disso, em termos práticos, é uma oportunidade maravilhosa para pessoas de diversas tradições se conhecerem. Prometi ao bispo Tutu que nas futuras discussões sobre compartilhamento intercrenças eu mencionaria essa ideia – e agora estou cumprindo minha promessa!

Assim, existem campos para se promover o diálogo e a harmonia entre as religiões, e existem métodos. Estabelecer e manter essa harmonia é de vital importância porque sem isso as pessoas podem facilmente criar desavenças umas com as outras. No pior dos casos, surgem conflitos e hostilidade, levando ao derramamento de sangue e à guerra. Muitas vezes, algum tipo de diferença ou intolerância religiosa está na raiz de muitos desses conflitos. No entanto, supõe-se que a religião arrefeça a hostilidade, atenue conflitos e traga paz. É trágico a própria religião tornar-se outro motivo para a criação de discórdia. Quando isso acontece, a religião não tem valor para a humanidade – de fato, é prejudicial. Contudo, não creio que devamos abolir a religião; ela ainda pode ser um instrumento para o desenvolvimento da paz entre as pessoas no mundo.

Além disso, embora possamos ressaltar importantes avanços na tecnologia, e até no que chamamos "qualidade de vida", ainda temos determinadas dificuldades que a tecnologia e o dinheiro não podem resolver: sentimos ansiedade, medo, ira, tristeza por perda ou separação. Somadas a essas dificuldades, temos muitas queixas cotidianas – eu com certeza tenho, e imagino que vocês também.

Esses são determinados aspectos fundamentais do ser humano que permaneceram inalterados por milhares, talvez milhões de anos, e serão superados somente através da paz mental. De um jeito ou de outro, todas as religiões abordam essas questões. Assim, mesmo no século XXI, as várias tradições religiosas ainda possuem um objetivo muito importante – proporcionar paz mental a seus seguidores.

Precisamos da religião a fim de desenvolver tanto a paz interior quanto a paz entre os povos do mundo; esse é o papel essencial da religião hoje em dia. E, na busca desse objetivo, torna-se imprescindível a harmonia entre as diferentes tradições.

APRENDER COM OUTRAS TRADIÇÕES

Embora não recomende que uma pessoa abandone sua religião original, creio que o seguidor de uma tradição pode incorporar em sua prática certos métodos de transformação espiritual encontrados em outras tradições. Alguns de meus amigos cristãos, por exemplo, embora permaneçam ligados de maneira firme à sua própria tradição, incorporam antigos métodos indianos para o cultivo da unidirecionalidade da mente por meio da concentração meditativa. Também tomam emprestadas algumas ferramentas do Budismo para treinar a mente durante a meditação, visualizações relacionadas ao desenvolvimento da compaixão, e práticas que ajudam na amplitude da paciência. Esses cristãos devotos, ao mesmo tempo em que permanecem solidamente ligados à sua própria tradição espiritual, adotam determinados aspectos e métodos de outras religiões. Creio que isso é benéfico para eles, e sábio.

Essa adoção também pode funcionar na via inversa. Os budistas podem incorporar elementos do Cristianismo em sua prática – por exemplo, a tradição do serviço comunitário. Na tradição cristã, monges e freiras têm uma longa história de trabalho social, em particular nos campos da saúde e educação. O Budismo está muito atrás do Cristianismo no fornecimento de serviço para a grande comunidade humana por meio do trabalho social. De fato, um de meus amigos alemães, também budista, observou que, ao longo dos últimos 40 anos, embora muitos mosteiros tibetanos de vulto tenham sido erguidos no Nepal, pouquíssimos hospitais ou escolas foram construídos por esses monastérios. Meu amigo comentou que, se fossem mosteiros cristãos, junto com o aumento do número deles, com certeza teria havido também um aumento no número de escolas e postos de saúde. Um budista não pode manifestar nada em resposta a uma afirmação dessas a não ser inteira concordância.

Os budistas podem aprender muito com o serviço comunitário cristão. Entretanto, alguns de meus amigos cristãos manifestam enorme interesse pela filosofia budista da vacuidade. Para esses irmãos cristãos, observei que o ensinamento da vacuidade – o ensinamento de que todas as coisas são destituídas de qualquer existência absoluta, independente – é exclusivo do Budismo, e portanto, para um cristão praticante, seria sábio não se aprofundar demais nesse ensinamento. O motivo para essa cautela é que, se alguém começa a se aprofundar intensamente no ensinamento budista da vacuidade e a segui-lo com fidelidade, pode destruir a fé em um criador – um ser absoluto, independente, eterno, que, em resumo, não é vazio.

Muitas pessoas manifestam sincera reverência tanto pelo Budismo quanto pelo Cristianismo, e especificamente pelos ensinamentos do Buda Shakyamuni e de Jesus Cristo. Sem dúvida, é de grande valor desenvolver um respeito profundo pelos professores e ensinamentos de todas as religiões do mundo, e em um estágio inicial dá para ser, por exemplo, praticante budista e cristão. Mas, se a pessoa optar em seguir um caminho em grande profundeza, será necessário abraçar um caminho espiritual junto com sua metafísica subjacente.

Podemos traçar aqui uma analogia com a educação. Começamos com uma educação em bases amplas; da escola primária até talvez a faculdade, quase todas as pessoas inicialmente estudam um currículo básico semelhante. Mas, se desejamos seguir uma especialização, quem sabe um doutorado ou alguma especialidade técnica, só podemos fazê-lo em um campo específico. Desse modo, do ponto de vista do praticante espiritual individual, à medida que se aprofunda no caminho espiritual, a prática de uma religião e uma verdade torna-se importante. Assim, ao mesmo tempo em que é fundamental toda a sociedade humana acolher a realidade de muitos caminhos e muitas verdades, para uma pessoa pode ser melhor seguir um caminho e uma verdade.

capítulo 3

Os Fundamentos do Budismo

Características específicas

Como acabamos de ver, muitas religiões proporcionam valiosos caminhos espirituais, mas, dentro da experiência individual, é mais eficiente enfocar apenas uma. Desse modo, agora irei enfocar a religião em que possuo maior experiência pessoal: o Budismo. Primeiro, vamos examinar onde o Budismo pode ser situado em relação às outras religiões do mundo.

Podemos dividir todas as religiões do mundo em dois grandes grupos: as teístas, que defendem a existência de um criador, e as não teístas. Cristianismo, Judaísmo, Islamismo e Hinduísmo são exemplos de religiões teístas. Budismo, Jainismo e um ramo da antiga tradição indiana conhecido como Samkhya são exemplos de religiões não teístas.

Dentro das religiões não teístas, podemos de novo fazer duas grandes distinções: existem as que defendem a existência do *atman,* uma alma eterna unitária, permanente e imutável, e aquelas que não o fazem. O Budismo é o único exemplo da segunda divisão. A rejeição de um princípio imutável ou de uma alma eterna é uma das principais características que distingue o Budismo das outras tradições não teístas.

Observando as antigas tradições espirituais indianas, também podemos dividi-las de outra maneira: as que acreditam em renascimento e reencarnação, e aquelas que não acreditam. No primeiro grupo, podemos fazer outra divisão em dois: as que, além de acreditar em renascimento, também acreditam na liberação do ciclo do renascimento, e aquelas que não acreditam. Os budistas acreditam tanto no renascimento quanto na possibilidade de liberação, que chamamos *moksha,* em sânscrito.

Além do mais, entre as que aceitam a noção de liberação, existem as que entendem a obtenção da liberação como atingir algum outro plano externo de existência, e aquelas que entendem a obtenção da liberação como a realização de um estado mental ou espiritual particular. O Budismo entende a liberação do renascimento como a aquisição de um certo estado mental. Tendo essas distinções em mente, a série de ensinamentos que apresentarei a seguir constituem os ensinamentos do Budismo.

O Buda

De acordo com o entendimento convencional, a tradição espiritual que conhecemos como Budismo iniciou sua evolução há mais de 2.500 anos. Existe, contudo, uma divergência de opinião entre os eruditos budistas a respeito de quando exatamente nasceu o Buda histórico, Siddharta Gautama Shakyamuni. A maioria dos eruditos ocidentais situa seu nascimento há cerca de 2.500 anos; alguns eruditos tibetanos, como o grande Sakya Pandita, afirmam que faz mais de 3 mil anos que Buda veio ao mundo; e existe ainda uma terceira escola de pensamento que sustenta que o Buda viveu há 2.900 anos.

Como budista, considero essa incerteza sobre as datas exatas da vida do Buda Shakyamuni, o fundador da tradição, um pouco embaraçosa. Creio firmemente que, por profunda reverência e respeito, devemos submeter algumas das relíquias do Buda ainda disponíveis a uma detalhada pesquisa científica e a partir daí esclarecer essa questão de forma significativa.

Mas, deixando de lado esse detalhe, se observarmos a vida do Buda Shakyamuni, veremos que ele passou por um processo de desenvolvimento espiritual. Nascido filho de um rei, cresceu no luxo da corte. Mas abriu mão das comodidades reais, adotou um modo de vida ascético e passou por um período de seis anos de severa prática espiritual. Mais tarde abandonou as práticas ascéticas por serem insatisfatórias e simplesmente sentou-se em meditação embaixo de uma árvore que chamamos *bodhi,* fazendo o voto de não se levantar até atingir a iluminação e liberação. Como resultado desse longo e árduo processo, atingiu uma iluminação completa, insuperável e perfeita.

A vida do Buda exemplifica um princípio muito importante: é necessária uma certa dose de privação na busca espiritual. Também podemos ver esse princípio em ação nas vidas de outros grandes professores religiosos, como Jesus Cristo ou o profeta muçulmano Maomé. Além disso, creio que, se os seguidores desses professores desejam atingir a mais elevada realização espiritual dentro de sua tradição, devem enfrentar um processo de privação, que suportam por meio de dedicada perseverança. Às vezes existe entre os seguidores do Buda a tendência de imaginar, talvez no fundo de suas mentes, o seguinte: "Embora o Buda tenha passado por todas aquelas privações para atingir a iluminação, elas não são realmente necessárias para *mim*. Com certeza, *eu* posso atingir a iluminação sem abrir mão das comodidades da vida". Quem sabe essas pessoas imaginem que, por serem de algum modo mais afortunadas que o Buda, possam alcançar o mesmo estado espiritual que ele sem quaisquer sacrifícios ou renúncia em particular. Acho que isso é equivocado.

Assim como o Buda adotou um estilo de vida ascético, levando uma vida de verdadeira renúncia, seus primeiros discípulos tiveram um firme embasamento para a prática espiritual dentro de um estilo de vida celibatário. Por causa disso, ao longo de toda a história do Budismo, a comunidade monástica desempenhou um papel importante na disseminação e posterior desenvolvimento dos ensinamentos do Buda.

Somado ao fato de imaginar que um determinado grau de privação seja desnecessário, algumas pessoas também concluem de maneira equivocada que os ensinamentos morais e éticos do Buda são de alguma forma supérfluos aos "reais" ensinamentos dele. Mas, se observarmos com atenção, veremos que cada preceito evoluiu de um ensinamento dado pelo Buda a respeito de como reagir a um desafio ético em particular, uma situação específica surgida na vida do seguidor. Dessa maneira, desenvolveram-se todos os preceitos e códigos de conduta para os membros da ordem monástica, que levaram à adoção de um estilo de vida, uma vida de acordo com os ensinamentos do Buda. O Buda muito falou sobre tópicos filosóficos destinados a aprimorar a prática de seus seguidores e sobre o entendimento dos preceitos éticos.

A Essência do Sutra do Coração

Dessa forma, vemos que os exemplos do Buda e de seus primeiros discípulos são relevantes para o nosso próprio caminho espiritual. Ao mesmo tempo em que o Budismo adaptou-se à cultura de cada nova civilização que encontrou, conservou a ênfase na moralidade e na disciplina como fundamentais para o amadurecimento espiritual. Se queremos obter as coisas descritas pelo Buda – a concentração profunda e os insights penetrantes –, também devemos suportar alguma dose de privação e observar um comportamento ético.

O primeiro giro da roda do Dharma

Logo após alcançar a iluminação embaixo da árvore bodhi, o Buda proferiu um sermão em Varanasi, compartilhando os frutos de sua realização. Esse sermão é citado como sendo "o primeiro giro da roda do Dharma". A palavra *Dharma* refere-se aqui aos ensinamentos budistas em si. Foi nesse sermão que o Buda desenvolveu o que se tornaria a estrutura do conjunto integral de seus ensinamentos: as quatro nobres verdades.

Essas quatro verdades são a verdade do sofrimento, a verdade de sua origem, a verdade da possibilidade de sua cessação e a verdade do caminho que leva à cessação. Em essência, as quatro nobres verdades dizem que todos nós almejamos a felicidade e não queremos sofrer – e que o sofrimento que desejamos evitar aparece como resultado de uma cadeia de causas e efeitos iniciada antes mesmo de nosso nascimento. Se vamos seguir em busca de nossa aspiração de ficarmos livres do sofrimento, precisamos entender com clareza as causas e condições que dão origem a ele e lutar para eliminá-las. Também devemos entender claramente as causas e condições que dão origem à felicidade e praticá-las ativamente. Essa é a essência das quatro nobres verdades.

Tendo estabelecido a estrutura da liberação nas quatro nobres verdades, o Buda detalhou 37 passos ao longo do caminho para sua obtenção que são chamados 37 aspectos do caminho da iluminação. Os aspectos mostram como os princípios das quatro nobres verdades devem ser aplicados no cotidiano da vida espiritual. Existem dois componentes primários nesses ensinamentos: o cultivo da unidirecionalidade da mente, que é conhecido como permanência serena *(shamata)* e o cultivo do insight penetrante *(vipashyana)*. Se examinarmos os 37 aspectos do caminho da iluminação em relação a essas duas qualidades da mente, encontraremos aspectos relacionados a ambas.

Dos 37 aspectos, os primeiros são os *quatro fundamentos da presença mental*:

1. O fundamento da presença mental do corpo.
2. O fundamento da presença mental dos sentimentos.
3. O fundamento da presença mental da mente.
4. O fundamento da presença mental dos fenômenos.

Ao se aprofundar na prática desses quatro fundamentos desenvolve-se um grande entusiasmo pelas atividades positivas ou "sadias". Desse modo, temos a segunda relação, isto é, *as quatro atividades corretas*:

5. Abandonar os atos negativos.
6. Evitar atos negativos futuros.
7. Intensificar as qualidades positivas existentes e os atos sadios passados.
8. Assentar a fundação para futuros atos sadios.

Uma vez que o buscador espiritual assente sólidas fundações de presença mental e conduta ética, será capaz de desenvolver maior unidirecionalidade da mente, e desse modo realizar atividades mentais que não podem ser sustentadas com um grau menor de concentração. Visto que as atividades requerem um estado de mente bem preparado e incomumente focado, são chamadas "sobrenaturais". Portanto, os quatro fatores seguintes são as *quatro proezas sobrenaturais*:

9. A proeza sobrenatural da aspiração.
10. A proeza sobrenatural do esforço jubiloso.
11. A proeza sobrenatural da concentração.
12. A proeza sobrenatural da indagação.

A Essência do Sutra do Coração

Os primeiros doze fatores relacionam-se aos métodos para intensificar a capacidade de permanecer focado unidirecionalmente em um objeto de meditação escolhido. Essa capacidade ampliada, por sua vez, leva a ativar todas as outras faculdades espirituais positivas. Seguem-se assim as *cinco faculdades*:

13. A faculdade da fé.
14. A faculdade do esforço jubiloso.
15. A faculdade da presença mental.
16. A faculdade da absorção meditativa.
17. A faculdade da sabedoria ou *insight*.

No momento em que essas cinco faculdades atingem um estado avançado, tornam-se os *cinco poderes*:

18. O poder da fé.
19. O poder do esforço jubiloso.
20. O poder da presença mental.
21. O poder da absorção meditativa.
22. O poder da sabedoria ou insight.

Quando se desenvolvem esses poderes, naturalmente fica-se capacitado para seguir o âmago do caminho budista, conhecido como o *nobre caminho óctuplo*, que constitui o grupo seguinte, isto é:

23. Visão correta.
24. Pensamento correto.
25. Fala correta.
26. Ação correta.
27. Meio de vida correto.
28. Esforço correto.
29. Presença mental correta.
30. Concentração correta.

Os Fundamentos do Budismo

Os sete fatores finais da lista são conhecidos como as *sete ramificações da iluminação*:

31. O fator de iluminação que consiste da presença mental correta.
32. O fator de iluminação que consiste da aspiração correta.
33. O fator de iluminação que consiste do esforço jubiloso correto.
34. O fator de iluminação que consiste da alegria correta.
35. O fator de iluminação que consiste da tranquilidade correta.
36. O fator de iluminação que consiste da concentração correta.
37. O fator de iluminação que consiste da equanimidade correta.

Reunida, a prática dos 37 aspectos do caminho da iluminação forma o âmago da aplicação prática dos ensinamentos do Buda sobre as quatro nobres verdades e, portanto, da tradição páli do Budismo. Essas, por sua vez, podem ser chamadas os fundamentos do Budismo e primeiro giro da roda do Dharma.

OS DOZE ELOS DA ORIGINAÇÃO DEPENDENTE

Em essência, as quatro nobres verdades são movidas pelo princípio da causalidade; manifestam a lei de causa e efeito. O Buda esmiúça a natureza causal das quatro verdades com explicações sobre os doze elos da originação dependente.[3] Na raiz desses ensinamentos sobre os doze elos está a afirmação de que todos os fenômenos – nossa experiência, as coisas e os eventos – passam a existir como resultado da agregação de causas e condições. É primordial compreender com clareza esse ensinamento porque, como veremos, ele compõe o fundamento para a instrução do Buda sobre a vacuidade, que é o cerne do *Sutra do Coração*. Os doze elos da originação dependente são:

1. Ignorância.
2. Ação volitiva.
3. Consciência.
4. Nome e forma.

5. Sensos dos sentidos.
6. Contato.
7. Sensações.
8. Desejo.
9. Apego.
10. Vir a ser.
11. Nascimento.
12. Envelhecimento e morte.

A apresentação sequencial dessa cadeia causal, começando com a ignorância e seguindo até o nascimento e morte, descreve o processo da existência *não iluminada*. Quando examinamos a cessação dos fenômenos, em vez de sua criação, a ordem é invertida, começando pela cessação do envelhecimento e morte, recuando para a cessação do nascimento e assim por diante. Essa apresentação inversa descreve a íntegra do processo causal da existência *iluminada*. Assim, os doze elos da originação dependente podem descrever os processos causais da existência iluminada, bem como da existência não iluminada.

Por meio desses doze elos, o Buda ensina que todas as coisas e todos os eventos, inclusive todos os elementos da experiência individual de um ser, passam a existir apenas como resultado da agregação de causas e condições. Entender isso, por sua vez, pode nos fazer ver que todas as coisas são por natureza interdependentes, originando-se inteiramente como resultado de outras coisas e outros fatores.

O Buda ensina que o simples fato de algo ser criado de forma dependente significa que ele necessariamente não tem uma realidade essencial, ou independente. Assim, se uma coisa é *dependente,* por uma questão de lógica deve ser desprovida de uma natureza que seja independente de outros fenômenos, de existir *independentemente.* Por isso se diz que qualquer coisa originada de modo dependente deve ser também, de fato, vazia.

Alguém pode se perguntar por que esse ensinamento é tão importante; o que interessa saber que todos os fenômenos sejam vazios de qualquer existência independente? É importante, ensina o Buda, porque aquele que entende claramente a verdadeira natureza dessa vacuidade será liberado, libertado por completo de todo o sofrimento. Desse modo, como podemos entender isso? Nos doze elos da originação dependente, é dito que a raiz da existência não iluminada repousa no primeiro elo, na nossa ignorância básica sobre a natureza vazia da realidade. A psicologia budista contém muitas explicações sutis e complexas sobre como identificar e superar essa ignorância, que se manifesta em especial na maneira como experienciamos as aflições emocionais e mentais. Para verificar como o entendimento da ignorância nos libertará do sofrimento, precisamos, primeiro, examinar essas aflições.

AS AFLIÇÕES

Boa parte da literatura budista é dedicada a expor a natureza das aflições e a necessidade de superá-las. Em sânscrito, a palavra para aflição é *klesha*, e o equivalente tibetano é *nyon mong* (literalmente, "aquilo que aflige a partir de dentro"). Uma aflição, por sua própria natureza, ocasiona um distúrbio imediato dentro da mente da pessoa no instante em que surge, causando sofrimento.

Quando, de maneira genérica, falamos sobre nossa aspiração de sermos felizes e ficarmos livres do sofrimento, estamos falando de nossas experiências conscientes – ou seja, nosso desejo de *experienciar* felicidade e *não experienciar* sofrimento. Assim, vamos nos deter um momento para examinar a natureza fenomenal da experiência.

Podemos dividir todas as experiências conscientes em duas amplas categorias: experiência sensorial pertencente aos olhos, ouvidos, nariz, língua e corpo; e experiência da própria mente. A consciência sensorial nos traz dor física, que identificamos e experienciamos como sofrimento, e outras prazer físico, que identificamos e experienciamos como felicidade. Nossa consciência sensorial pode nos trazer determinado tipo de sofrimento e felicidade.

Contudo, experiências de infelicidade e felicidade no nível de nossa consciência *mental* são bem mais agudas. Se olharmos com atenção, veremos que muito de nossa infelicidade e sofrimento é causado por distúrbios em nossos pensamentos e emoções. São o resultado das aflições

A Essência do Sutra do Coração

mentais, dos kleshas. Exemplos dessas aflições incluem apego ou ganância, aversão ou ódio, ira, orgulho, ciúme – um leque de estados negativos que um ser humano pode experienciar. Todas perturbam nossos corações e mentes a partir do momento em que surgem. Os textos budistas listam muitas classes de aflições, tais como as seis aflições primárias e as vinte derivadas.[4]

Se observarmos nossa experiência com atenção, podemos descobrir exatamente qual o papel desempenhado pelas aflições mentais em nossa vida cotidiana e pensar conosco mesmo: "Hoje me senti muito tranquilo e feliz", ou: "Hoje me senti extremamente inquieto e infeliz". A diferença entre os dois casos é que, no primeiro, nosso estado mental foi menos influenciado pelas aflições mentais, ao passo que no segundo elas foram dominantes. Na verdade, são sempre e tão somente as aflições mentais que agitam nossa mente, não obstante tentemos culpar as condições externas por isso, imaginando que o fato de deparar com pessoas desagradáveis ou circunstâncias adversas nos deixa infelizes. Contudo, conforme o grande professor indiano Shantideva ressaltou, por volta do século VIII, quando os verdadeiros praticantes do ensinamento do Buda deparam com adversidades, permanecem resolutos e inabalados como uma árvore. Shantideva recorda-nos que o fato de encontrar adversidades não nos leva sempre à perturbação mental; mesmo em meio à adversidade, a principal causa de nossa infelicidade é nossa própria mente indisciplinada sob a influência dos kleshas.[5] Fracassando no entendimento desse princípio, nos deixamos controlar pelas aflições mentais; e muitas vezes as acolhemos e reforçamos, como, por exemplo, alimentando nossa ira.

As aflições mentais são, por natureza, relativas e subjetivas; não possuem uma base absoluta ou objetiva. Para ficar mais simples, vamos considerar como exemplo um alimento que consideremos muito desagradável, indesejável – talvez a simples visão dele nos perturbe – e as aflições por repulsa que surgem em nossa mente. Se essas aflições tivessem uma base absoluta na realidade, as qualidades que experimentamos – repelentes ou repulsivas – seriam experienciadas em todas as circunstâncias por cada pessoa que deparasse com o alimento que possuísse tais qualidades. Isso quer dizer que todo mundo reagiria sempre a esse alimento com a mesma repulsa que nós. Claro que não é assim.

Pessoas de uma cultura podem achar repugnante um alimento que pessoas de outra cultura considerem um manjar. Nós mesmos podemos "desenvolver um gosto" por um alimento, aprendendo a apreciar a experiência de algo que antes achávamos insosso. Tudo isso revela que a indesejabilidade é algo que projetamos de modo subjetivo; não existe de forma intrínseca em nenhum objeto ou experiência.

Vamos pegar um outro exemplo. Todos que estão vivos vão envelhecer e morrer. A realidade do envelhecimento e da morte é um simples fato de nossa existência, e é inquestionável. Entretanto, no Ocidente em particular, muitas pessoas são extremamente relutantes em aceitar a realidade do envelhecimento e da morte. Tanto é assim que fazer a observação de que alguém é velho é encarada como uma indelicadeza. Não obstante, se olharmos as atitudes de diferentes sociedades, digamos, por exemplo, da sociedade tibetana, os mesmos fenômenos – envelhecimento e morte – são vistos sob um prisma radicalmente diferente. A idade avançada é entendida como uma característica para maior respeito. Portanto, o que de uma perspectiva cultural é entendido como negativo, de outra é bastante positivo – mas o fenômeno do envelhecimento em si não possui qualidades intrínsecas no que se refere a essa questão.

A partir desses exemplos, verificarmos o grau em que nossas atitudes e percepções fazem diferença no modo de vivenciar uma determinada situação. Nossas atitudes refletem pensamentos e emoções, e nossos pensamentos e emoções refletem dois impulsos principais: atração e repulsa. Se percebemos uma coisa, pessoa ou evento como indesejável, reagiremos com repulsa e tentaremos evitá-lo. A repulsa torna-se a base para a hostilidade e outras emoções negativas associadas. Se, entretanto, achamos uma coisa, pessoa ou evento desejável, reagiremos com atração e tentaremos nos agarrar a ele. A atração torna-se a base para o anseio e o apego. Essa dinâmica básica de atração e repulsa compõe a raiz de nosso envolvimento no mundo.

Seguindo esse raciocínio, fica claro que, quando fazemos declarações como "Hoje me sinto feliz", ou "Hoje me sinto infeliz", são apenas emoções de apego ou aversão que as determinam. Não significa que encontrar algo desejável ou indesejável seja em si uma aflição. Temos que examinar a qualidade específica daquela atração ou aversão.

A Essência do Sutra do Coração

Todas as ações são ações de corpo, fala ou mente. Ou seja, cada ato que realizamos é cometido por meio de algo que fazemos, dizemos ou pensamos. Os budistas referem-se às ações criadas dessa forma como *karma*, que é a palavra em sânscrito para "ação". Todas as ações criam consequências, e os budistas chamam isso *lei do karma* ou *lei de causa e efeito*. Como já vimos, o Buda ensinou que devemos cultivar ações com consequências positivas (karma sadio), ao mesmo tempo em que devemos nos abster de ações com consequências negativas (karma insalubre). Certas ações, como aquelas no nível dos reflexos ou processos biológicos, estão além de controle consciente e, portanto, são moral ou karmicamente neutras. Porém, nossas ações mais significativas provêm necessariamente de um motivo ou intenção e são destrutivas ou proveitosas.

Atos destrutivos são motivados por estados perturbados da mente, quer dizer, são movidos por uma mente dominada pelas aflições. Em toda a história da sociedade humana, são as aflições mentais, os estados indisciplinados da mente, que subjazem em todos os atos destrutivos da humanidade – do pequeno ato de matar uma mosca às grandes atrocidades de guerra. Devemos lembrar que a ignorância em si é uma aflição: quando, por exemplo, fracassamos em ter noção das consequências negativas a longo prazo de uma ação e, em vez disso, agimos em função de pensamentos imediatos de ganho.

Se examinarmos com atenção as sensações de intenso desejo ou ira, vamos verificar que na raiz dessas emoções repousa nosso apego ao seu objeto. E, se formos mais adiante, vamos descobrir que na origem está nosso apego a um senso do eu ou ego. Ao não reconhecer a vacuidade do eu e do outro, por engano nos agarramos a ambos como autônomos, objetivamente reais e existentes de modo independente.

Conforme ressalta o filósofo indiano do século VIII, Chandrakirti, em seu *Guia para o Caminho do Meio*, primeiro nos agarramos a um senso do eu, e, a seguir, estendemos esse apego aos outros. Primeiro você tem um senso do "eu"; a seguir agarra-se às coisas como "minhas". Olhando para dentro de nossa própria mente, podemos ver que, quanto mais intenso é nosso apego, com mais vigor ele gera emoções negativas e destrutivas. Existe uma conexão causal muito íntima entre nosso apego a um senso do eu e o surgimento de emoções destrutivas dentro de nós. Enquanto permanecermos sob o domínio dessa crença errônea, não teremos espaço para a alegria duradoura – é isso que significa estar aprisionado no ciclo da existência. O sofrimento nada mais é do que a vivência escravizada pela ignorância.

Embora existam muitas aflições e muitos modos de classificá-las, três em particular – apego, ira e delusão – são muitas vezes referidas como os *três venenos* da mente. Assim como o veneno causa dano ao corpo e sofrimento físico, e pode até pôr fim à vida, essas aflições mentais também causam intensa angústia – muitas vezes apressando nossa morte.

Em última análise, as aflições mentais não causam somente sofrimento para nós mesmos e para os outros: também impedem nossa obtenção de felicidade. Assim, esses estados internos são nossos verdadeiros inimigos e mais perniciosos do que qualquer inimigo externo. Mesmo tendo uma chance de nos esconder de um inimigo externo, não importa onde possamos ir, as aflições mentais podem surgir. Além do mais, o inimigo interno permanece sempre nosso inimigo; não existe a mínima chance de se tornar nosso amigo em algum momento no futuro. Não há lugar para onde alguém possa escapar do inimigo interno, nenhum jeito de atraí-los para o nosso lado, nenhum jeito de o inimigo cessar o ataque. Assim sendo, o que podemos fazer?

ABANDONAR AS CAUSAS DO SOFRIMENTO

Entendendo a vacuidade, percebendo com clareza a natureza vazia de todos os fenômenos, é possível nos libertar das emoções negativas, e, assim, da criação do karma insalubre e do poder de nosso inimigo interno. Por meio desse processo, podemos começar a desfazer o mal que causamos com nosso apego, e as fortes emoções derivadas a que ele dá origem. No momento em que começamos a desenvolver um insight sobre a natureza vazia do eu e de toda a realidade, inicia-se o processo de liberação de nosso apego deludido. No instante de nosso primeiro insight sobre a natureza vazia do eu e da realidade, começamos a nos livrar da escravidão da ignorância e do ataque do inimigo interno. Reduzindo nosso apego, começamos a desfazer a cadeia causal da existência não iluminada. Livrando-nos da ignorância, que se agarra a si mesma, o primeiro elo da originação dependente, evita-se o surgimento do segundo elo, e por fim fica-se livre do ciclo interminável de vidas de sofrimento.

Mas o que tudo isso quer dizer exatamente? Se chegamos ao conhecimento de que o eu a que nos agarramos é vazio, podemos imaginar que isso significa que nós, como pessoas com identidades próprias, não existimos. Entretanto, é claro que a realidade não é assim – nossas experiências pessoais demonstram que, como sujeitos e agentes de nossa vida, com certeza existimos. Assim, como então entendemos o conteúdo desse insight da ausência do eu? O que se segue a esse insight? Devemos ter muito claro que *apenas o eu que é agarrado como intrinsecamente real* precisa ser negado. O eu, como fenômeno convencional, não é rejeitado. Esse é um aspecto fundamental dos ensinamentos do Buda sobre a vacuidade. Sem conhecer essa distinção, não se pode entender plenamente o significado do não eu. Mais adiante, quando aprofundarmos na discussão do *Sutra do Coração*, irei esmiuçar esse tópico em detalhes.

Como cultivamos um entendimento claro sobre a vacuidade? A fim de praticar o caminho budista, precisamos criar um profundo senso de renúncia da natureza de nossa existência atual, que se caracteriza por agregados mentais e físicos sob o controle do karma e das aflições. Essa existência não iluminada não só é consequência de enganos e aflições mentais passadas, mas atua como alicerce para nossas experiências presentes e futuras de sofrimento, bem como de aflições. Devemos, portanto, desenvolver uma imensa aspiração de conquistar a liberdade dessa existência condicionada. O coração da renúncia é uma jornada em busca da vitória sobre o inimigo interno, as aflições mentais.

Nesse contexto, "renúncia" não se refere ao ato de abrir mão de todas as nossas posses, mas sim a um estado da mente. Enquanto nossa mente continuar movida pela ignorância, não haverá espaço para a felicidade duradoura, e permaneceremos suscetíveis a um problema atrás do outro. Para romper esse ciclo, precisamos entender a natureza desse sofrimento da existência condicionada e cultivar um forte desejo de conseguir nos libertar disso. Essa é a verdadeira renúncia.

O ciclo infindável de sofrimento, de suportar incontáveis ciclos de nascimento e morte, é chamado *samsara*. Renunciamos ao samsara com o objetivo de obter o nirvana. *Nirvana* significa literalmente "o estado além dos pesares", e se refere à liberdade da existência cíclica. Os "pesares" são as aflições mentais. Portanto, tomamos refúgio nos vários estados espirituais que cultivamos a fim de nos opor diretamente a estados mentais negativos; é isso que nos protege das aflições mentais. E, em última análise, é nesse estado livre de aflições mentais que alcançamos nosso refúgio final; esse é o verdadeiro Dharma.

Enquanto tentamos eliminar as aflições mentais gradativamente, primeiro combatemos os níveis grosseiros, e depois prosseguimos para os mais sutis. Aryadeva, um mestre indiano do século III, apresenta três estágios para a superação das aflições mentais em seu *Quatrocentos Versos sobre o Caminho do Meio*. Ele escreveu:

> Primeiro, o insalubre deve ser evitado.
> No meio, o eu deve ser evitado.
> Por fim, todas as visões devem ser evitadas.
> Sábio é aquele que sabe isso.[6]

O primeiro estágio da prática espiritual é abster-se de ações negativas grosseiras de corpo, fala e mente, tais como as dez ações insalubres.[7] No segundo estágio, uma vez que se tenha obtido algum grau de restrição referente a essas ações, desafiam-se as aflições por meio da aplicação de antídotos. Por exemplo, para se opor à ira, cultiva-se a bondade amorosa, e para se opor ao apego, contempla-se a impermanência. Esses antídotos ajudam a reduzir a intensidade das emoções negativas. Porém, o método mais direto para superar as aflições mentais é cultivar o insight sobre a vacuidade. Nesse estágio final, luta-se para eliminar não apenas as aflições, mas também as propensões residuais delas, de modo que não reste vestígio que possa ocasionar uma futura ocorrência dessas aflições.

Em resumo, a ignorância reside na raiz de todas as aflições, que estão inevitavelmente na raiz do sofrimento. A ignorância e as aflições são conhecidas como as verdadeiras origens do sofrimento. O insight sobre a vacuidade é o verdadeiro caminho. E, por fim, a liberdade que obtemos por meio do cultivo dessa sabedoria é a verdadeira cessação.

capítulo 4

O Grande Veículo

A Escola Mahayana

Visando entender de forma plena o Sutra do Coração, devemos compreender o lugar que ele ocupa dentro do cânone da literatura budista. O Sutra do Coração faz parte da literatura da Perfeição da Sabedoria, composta por textos do Mahayana ("Grande Veículo"), que constituem a parte essencial do "segundo giro da roda do Dharma". Os ensinamentos do Mahayana estão enraizados nos sermões que o Buda proferiu no Pico do Abutre. Nesse sentido, enquanto os ensinamentos do primeiro giro enfatizam o sofrimento e sua cessação, os ensinamentos do segundo giro enfatizam a vacuidade.

Na escola Mahayana também existem ensinamentos oriundos do "terceiro giro da roda do Dharma". Na sua composição, podemos falar de duas categorias de escrituras: as que apresentam uma leitura interpretativa dos Sutras da Sabedoria da Perfeição, e as que apresentam a teoria da natureza de buda (a palavra em sânscrito para essa natureza é *tathagatagarbha*). Como a literatura da Perfeição da Sabedoria enfatiza a vacuidade, as leituras interpretativas no terceiro giro foram ensinadas objetivando o benefício dos praticantes espirituais que, embora inclinados na direção do caminho Mahayana, ainda não estão prontos para fazer uso adequado dos ensinamentos do Buda sobre a vacuidade da existência inerente. Se esses praticantes adotassem o aparente significado literal dos Sutras da Perfeição da Sabedoria antes de conhecer o verdadeiro significado do Buda, existiria o risco de caírem no extremo do niilismo. É importante saber que os ensinamentos do Buda com toda a certeza não são niilistas, como o termo é entendido pelos filósofos, nem o ensinamento do Buda sobre a vacuidade da existência inerente conduz à mera não existência.

Uma maneira de se evitar o extremo do niilismo é contextualizar a vacuidade em termos de fenômenos específicos. No *Sutra que Desvenda o Pensamento do Buda (Samdhinirmochana Sutra)*, por exemplo, o Buda oferece uma ferramenta para se entender os Sutras da Perfeição da Sabedoria contextualizando a noção de "ausência de identidade".[8]

NAGARJUNA E O GRANDE VEÍCULO

Embora a tradição tibetana atribua a origem dos ensinamentos do Mahayana ao próprio Buda, eruditos históricos de outras linhas expressaram dúvidas a respeito, bem como alguns eruditos contemporâneos. Parece que antes mesmo dos tempos de Nagarjuna (um grande professor budista que viveu por volta do século II d.C. na Índia) já existiam opiniões contrastantes. Em consequência, encontramos nas obras de Nagarjuna, como a *Guirlanda Preciosa (Ratnavali)*, uma seção inteira na qual ele tenta provar a autenticidade dos Sutras do Mahayana. Argumentos desse tipo são também encontrados no *Ornamento dos Sutras Mahayanas (Mahayana Sutralamkara)* de Maitreya, no *Guia para o Modo de Vida do Bodhisattva (Bodhicharyavatara)* de Shantideva, e na *Essência do Caminho do Meio (Madhyamakahridaya)* de Bhavaviveka.

Para nossos propósitos, vamos examinar o cerne do argumento de Nagarjuna: se o caminho ensinado no primeiro giro da roda – os 37 aspectos do caminho para a iluminação – fosse o único caminho para a iluminação ensinado pelo Buda, não haveria diferença substancial entre o processo espiritual que leva à plena iluminação de um buda e o processo que leva à liberação individual alcançada por um arhat. Em outras palavras, uma pessoa que atingisse o nirvana (a eliminação do sofrimento pessoal) seria idêntica em entendimento e capacidade a uma pessoa que atingiu a iluminação completa de um buda. Se fosse assim, e as duas fossem iguais, a única diferença substancial entre ambas seria o tempo gasto para chegar lá: buscando atingir o estado de buda, deve-se acumular mérito por três inumeráveis éons, ao passo que a liberação individual de um arhat pode ser alcançada bem mais rapidamente. Nagarjuna argumenta, contudo, que tal posição (de que os estados são iguais, exceto pelo tempo envolvido) é indefensável.

Nagarjuna ressalta que uma das ideias metafísicas em voga nas primeiras tradições budistas é que, no momento do nirvana final do Buda, conhecido como "nirvana sem resíduo" – convencionalmente, o ponto da morte –, o continuum do ser chegaria ao fim. Se fosse assim, argumenta Nagarjuna, o período de vida durante o qual o Buda Shakyamuni, após o pleno despertar, teria tido condições de trabalhar pelo bem-estar dos outros seres sencientes – motivo primordial para ele acumular mérito e sabedoria ao longo de três inumeráveis éons – seria extremamente curto. O Buda abandonou sua vida de rei aos 29 anos, atingiu a iluminação plena aos 36 anos, e faleceu aos 80 ou 81 anos de idade. Isso significaria que o Buda haveria tido condições de trabalhar em benefício dos outros seres sencientes por apenas algumas décadas. Para Nagarjuna, essa enorme disparidade entre a duração do treinamento do Buda e a duração de sua atividade após a iluminação não faz sentido.

Além disso, ele argumenta que não existe fundamento para se postular que o continuum da mente de uma pessoa termine mediante o alcance do nirvana final, porque não há nada que possa ocasionar a cessação total do continuum da consciência. Ele afirma que, se existe antídoto para um determinado fenômeno ou evento, pode-se dizer que o antídoto causa a completa eliminação da existência do fenômeno ou evento. (Um antídoto para um veneno físico, por exemplo, causaria a completa cessação da ação do veneno.) Entretanto, no que diz respeito ao continuum da consciência, nenhum evento ou agente pode ocasionar sua total destruição. Nagarjuna argumenta que a mente inata e as impurezas ou aflições que obscurecem sua clareza natural são duas coisas separadas. Os poluentes mentais – impurezas e aflições – podem ser eliminados pela prática dos poderosos antídotos dos ensinamentos do Buda. Contudo, o continuum da mente em si permanece interminável.

Nagarjuna declara que os ensinamentos em sânscrito encontrados na tradição Mahayana não apenas são mais profundos que os ensinamentos da tradição páli, como também não os contradizem. Em certo sentido, pode-se dizer que as escrituras do Mahayana esmiúçam temas expostos e desenvolvidos nos primeiros ensinamentos do Buda, dando explicações

A Essência do Sutra do Coração

substanciais e detalhadas sobre as ideias anteriormente apresentadas. Dessa maneira, Nagarjuna afirma a autencidade dos ensinamentos do Mahayana.

Existe um processo de reflexão nos ensinamentos Sakyas do Caminho e da Fruição (*Lamdre*) que é útil para determinar a validade desses ensinamentos. Essa tradição fala das *quatro fontes válidas de conhecimento*: as escrituras válidas do Buda, os comentários válidos, o professor válido e a experiência pessoal válida. Em termos da evolução histórica desses quatro fatores, pode-se dizer que as escrituras válidas, aquelas ensinadas pelo Buda, surgiram primeiro. Baseados na leitura e interpretação dessas escrituras, foram desenvolvidos muitos comentários e tratados explicando o significado mais profundo dos ensinamentos do Buda. O trabalho de Nagarjuna é um exemplo disso. Então, baseados no estudo e prática desses comentários válidos, determinados praticantes podem ter dominado ou colocado em prática os temas presentes nas escrituras e comentários, tornando-se desse modo professores válidos. Por fim, com base nos ensinamentos ministrados por esses professores, a experiência ou realização válida cresce nos corações dos praticantes.

Contudo, uma pessoa torna-se capaz de verificar a validade dessas quatro fontes em uma ordem diferente daquela em que as quatro fontes evoluíram ao longo da história: visando desenvolver uma maior convicção na validade dos ensinamentos do Buda, primeiro é preciso um grau de experiência nesses ensinamentos. Assim, a experiência pessoal válida torna-se o primeiro fator. Quando falamos de experiência válida, é necessário que possam haver experiências válidas ordinárias e especiais. Embora possamos não possuir tipos extraordinários de experiências espirituais no presente, todos podemos alcançar categorias ordinárias de experiência espiritual. Quando refletimos com intensidade sobre os ensinamentos a respeito da compaixão, por exemplo, podemos sentir um impacto em nossa mente e coração – nos sentimos estimulados e vivenciamos um intenso senso de intolerabilidade. De modo parecido, quando refletimos sobre os ensinamentos a respeito da vacuidade e do não eu, essa reflexão pode ocasionar um impacto mais profundo dentro de nós. Essas são experiências espirituais.

Uma vez que se tenha essas experiências espirituais, mesmo em nível ordinário, tem-se uma amostra de como é obter essas realizações de verdade. Baseado em uma pequena experiência, pode-se ficar significativamente convencido da validade das grandes realizações espirituais mencionadas nos sutras, nos comentários e nas biografias dos mestres. Esse processo de começar com nossa experiência pessoal e usá-la para verificar os ensinamentos e os professores é bastante importante; pode-se dizer, de fato, que é o único caminho disponível para nós.

Nos *Fundamentos do Caminho do Meio,* Nagarjuna presta homenagem ao Buda como sendo um professor válido que ensinou a natureza absoluta da realidade, que personifica o princípio da grande compaixão e que, agindo exclusivamente pelo poder de sua compaixão por todos os seres sencientes, revelou o caminho que levará à superação de todas as visões errôneas. Refletindo com profundidade sobre nossa experiência pessoal, seremos capazes de validar o que Nagarjuna nos diz e de determinar a autenticidade dos ensinamentos do Mahayana.

As origens do grande veículo

Após a morte do Buda, seus ensinamentos foram compilados por alguns de seus principais discípulos. Essa compilação na verdade aconteceu em três épocas diferentes. É indiscutível que as escrituras do Mahayana não faziam parte das três compilações que hoje constituem o que é conhecido como o cânone páli. Além disso, quando examinamos as escrituras do Mahayana, encontramos afirmações que parecem problemáticas em vários sentidos. Os Sutras da Perfeição da Sabedoria, por exemplo, afirmam que foram ensinados pelo Buda no Pico do Abutre, em Rajagriha, para um grande grupo de discípulos. Entretanto, se você visita o local, na atual Rajgir, fica óbvio que seria impossível caber mais do que umas poucas pessoas no seu cume. Temos de entender a verdade desses relatos em um nível diferente, um nível além do ordinário, confinado pelas noções convencionais de espaço e tempo.

Nagarjuna e Asanga (outro grande professor indiano, que viveu no século IV d.C.) desempenharam papel determinante na compilação das escrituras do Mahayana. Eles são identificados como seus principais guardiães e intérpretes. Porém, existe uma lacuna de no mínimo 400 anos entre a morte do Buda e o nascimento de Nagarjuna, e talvez uns 900 anos de diferença entre a morte do Buda e o nascimento de Asanga. Poderíamos, portanto, perguntar qual a garantia de que as escrituras do Mahayana de fato tenham sido transmitidas de modo contínuo do tempo do Buda até os tempos de Nagarjuna e Asanga. Nas escrituras do Mahayana, o elo são os bodhisattvas, como Maitreya e Manjushri. Diz-se que, no caso de Nagarjuna, foi o bodhisattva Manjushri que transmitiu a linhagem. Bhavaviveka declara de forma explícita em seu texto *O Esplendor da Argumentação (Tarkajvala)* que os grandes bodhisattvas compilaram as escrituras do Mahayana. Esses relatos criam um panorama bastante complexo.

Como devemos entender as declarações a respeito das origens das escrituras do Mahayana em relação às noções convencionais de tempo? Possivelmente podemos dizer que as escrituras do Mahayana não foram ensinadas pelo Buda histórico para o grande público em nenhum sentido convencional.

Além disso, pode ser que tanto as escrituras do Mahayana como os Sutras da Perfeição da Sabedoria tenham sido ensinadas para um grupo restrito de pessoas que o Buda considerou o mais adequado para receber esses ensinamentos. Isso condiz com a asserção budista de que um buda transmite ensinamentos adaptando-os, conforme as diversas aptidões e diversos estados fisiológicos e psicológicos dos praticantes.

Assim, nesse contexto, os ensinamentos podem ter sido transmitidos em um plano que transcende os entendimentos convencionais de tempo e espaço. Dessa maneira, podemos entender a origem dos textos do Mahayana e a origem do *Sutra do Coração*.

capítulo 5

Liberdade do Sofrimento

Sofrimento e compaixão

A despeito de suas origens históricas e sua evolução, o Mahayana é sem dúvida um caminho dedicado à liberação de todos os seres. Quando a pessoa entra no caminho Mahayana, diz-se que ela se junta à família dos bodhisattvas. Isso acontece quando alguém, no curso de seu desenvolvimento espiritual, obtém a realização da compaixão genuína. A compaixão pode, é claro, ser entendida em muitos níveis, e o nível mais elevado de compaixão liberta você; mas vamos examinar o que se quer dizer com "compaixão genuína".

De acordo com o Budismo, a compaixão é uma aspiração, um estado da mente, de querer que os outros fiquem livres do sofrimento. Não é passiva – não é empatia –, mas sim um altruísmo empático que se esforça ativamente para libertar os outros do sofrimento. A compaixão genuína deve ter sabedoria e bondade amorosa, ou seja, a pessoa deve entender a natureza do sofrimento do qual deseja libertar os outros (isso é a sabedoria), e deve experienciar imensa intimidade e empatia com os outros seres sencientes (isso é bondade amorosa). Vamos examinar esses dois elementos.

O sofrimento, do qual desejamos liberar os outros seres sencientes, de acordo com os ensinamentos do Buda, possui três níveis. O primeiro nível inclui as sensações físicas e mentais de dor e desconforto que nós podemos facilmente identificar como sofrimento. Esse tipo de sofrimento está primariamente no nível sensorial – sensações e sentimentos desagradáveis ou dolorosos. O grande mestre tibetano Panchen Losang Chokyi Gyaltsan,

A Essência do Sutra do Coração

tutor do quinto Dalai Lama, recorda-nos que mesmo os animais buscam evitar sofrimento e dor físicos.

O segundo nível de sofrimento é o sofrimento da mudança. Embora certas experiências ou sensações possam parecer prazerosas e desejáveis no presente, dentro delas, de forma inerente, está o potencial para que culminem em uma experiência insatisfatória. Outra forma de dizer isso é que as experiências não duram para sempre; experiências desejáveis serão substituídas por uma neutra ou indesejável. Se as desejáveis não tivessem uma natureza efêmera, então, uma vez que tivéssemos uma experiência feliz, permaneceríamos felizes para sempre! De fato, se a desejabilidade fosse intrínseca a uma experiência, quanto mais permanecêssemos em contato com ela, mais felizes seríamos. No entanto, não é assim. Muitas vezes, quanto mais perseguimos essas experiências agradáveis, maior se torna o nosso nível de desilusão, insatisfação e infelicidade.

É provável que possamos encontrar numerosos exemplos de sofrimento da mudança em nossa vida, mas vamos usar como amostra o simples caso de alguém que compra um carro novo. Nos primeiros dias, a pessoa pode ficar completamente feliz, contente com a aquisição, pensando sem cessar no carro novo, tirando o seu pó, limpando e polindo-o com atenção e carinho. A pessoa pode até sentir vontade de dormir perto dele! No entanto, com o passar do tempo, o nível de excitação e alegria vai diminuindo. Pode ser que a pessoa comece a ficar mais acostumada com o carro, ou comece a se arrepender de não ter pego um modelo mais moderno ou de outra cor. O nível de prazer por possuir o carro diminui gradativamente, culminando em alguma forma de insatisfação – quem sabe o desejo de um outro carro, mais recente. É a isso que os budistas se referem quando falam de sofrimento da mudança.

O praticante espiritual precisa cultivar a percepção e o reconhecimento desse nível de sofrimento. A percepção não é exclusiva dos budistas; a aspiração de obter liberdade do sofrimento da mudança pode ser encontrada entre não budistas praticantes de absorção meditativa.

Porém, o terceiro nível de sofrimento é o mais significativo – o sofrimento difuso do condicionamento, que se refere ao simples fato de nossa existência ser não iluminada, de sermos governados por emoções negativas e por sua causa-raiz subjacente, isto é, nossa ignorância fundamental da natureza da realidade. O Budismo assegura que, enquanto estivermos sob o controle dessa ignorância fundamental, estaremos sofrendo; essa existência não iluminada é sofrimento por natureza.

Se vamos cultivar a sabedoria mais profunda, devemos entender o sofrimento em seu nível mais intenso, mais difuso. Por sua vez, a liberdade desse nível de sofrimento é o verdadeiro nirvana, a verdadeira liberação, o verdadeiro estado de cessação. Liberdade apenas do primeiro nível de sofrimento – ficar livre de experiências físicas e psicológicas desagradáveis – não é a verdadeira cessação do sofrimento. Liberdade do segundo nível também não. Entretanto, liberdade do terceiro nível de sofrimento – ficar completamente livre da verdadeira fonte de sofrimento – é a cessação genuína, a liberação verdadeira.

Diz-se que a liberdade do primeiro nível de sofrimento é obtida em determinado grau ao se obter renascimentos mais elevados – um nascimento humano mais afortunado ou o renascimento como um deus de vida longa. A liberdade do segundo nível de sofrimento pode ser obtida por meio de estados meditativos mundanos. Utilizando-se a prática de absorção meditativa profunda, por exemplo, um indivíduo pode experienciar o que é chamado quatro reinos da forma e quatro reinos da não forma. No reino mais elevado da forma e nos quatro reinos da não forma, diz-se que os seres sencientes ficam livres das sensações de dor e prazer, e permanecem em um estado neutro de sentimento – mas esses estados não se prolongam além do período em que se está em absorção meditativa profunda. Assim, sem escapar da existência cíclica, existem reinos onde pode-se obter liberdade do primeiro e segundo níveis de sofrimento. A liberdade do terceiro nível de sofrimento é o verdadeiro Dharma, que nos protege de *todo* sofrimento e negatividade. E a trilha que leva a esse Dharma é chamada caminho do Buda.

Entender o sofrimento dessa maneira é o primeiro elemento da compaixão genuína. O segundo elemento da compaixão genuína, a bondade amorosa, o desenvolvimento de um sentimento de intimidade e empatia com todos os seres, deve ser consumado com base no reconhecimento de nossa interconexão e interdependência com tudo o que existe. Devemos desenvolver a capacidade de nos conectar com os outros, de nos sentirmos próximos dos outros. Isso pode ser consumado ao se recordar as limitações e as consequências negativas do autozelo – zelar apenas pelo próprio bem-estar – e então refletir sobre as virtudes e méritos de zelar pelo bem-estar dos outros. No capítulo 12, explicarei algumas práticas para gerar compaixão e a atitude altruística chamada *bodhichitta*.

INTEGRAR TODOS OS ENSINAMENTOS

Enquanto nos preparamos para examinar o *Sutra do Coração* em profundidade, deixem-me ressaltar que, na leitura dos sutras da Perfeição da Sabedoria, existe uma tradição de interpretação na qual se entende o tema desses ensinamentos em dois níveis diferentes. De um lado, existe o tema explícito, que é o ensinamento do Buda sobre a vacuidade; de outro, existe o tema oculto, que se relaciona aos estágios do caminho, associados com os níveis aprofundados do entendimento da vacuidade. As escrituras da Perfeição da Sabedoria apresentam de forma explícita os ensinamentos sobre a vacuidade detalhadamente por meio da enumeração de várias categorias de fenômenos, tanto impuros (como os cinco agregados) quanto puros (como as quatro nobres verdades). Ao mesmo tempo, essas escrituras apresentam de modo implícito os estágios do caminho para a iluminação em termos de níveis progressivos de insight sobre a vacuidade.[9]

Conforme disse, o primeiro giro da roda do Dharma assenta a estrutura básica do caminho do Buda para a iluminação dentro do esquema das quatro nobres verdades. O segundo giro da roda, composto principalmente pelos textos da Perfeição da Sabedoria, esmiúça a terceira nobre verdade, a verdade da cessação, em particular no que se refere ao entendimento da natureza absoluta da realidade, a vacuidade. À medida que esse entendimento se aprofunda, a pessoa começa a reconhecer com maior clareza a natureza errônea da crença na existência intrínseca. À medida que a natureza errônea dessa crença torna-se cada vez mais evidente, o insight sobre a verdadeira natureza da realidade torna-se mais profundo e claro. Dessa maneira, também estabelecemos um alicerce para o maior entendimento da experiência subjetiva da vacuidade, que é o tema-chave no terceiro giro da roda do Dharma. As principais escrituras do terceiro giro são o *Sutra da Natureza de Buda (Tathagatagarbhasutra)*, que é o alicerce do *Sublime Continuum (Uttaratantra)* de Maitreya e da *Coleção de Louvores* de Nagarjuna. Essas escrituras apresentam, em detalhes, os ensinamentos da natureza de buda e da natureza da experiência subjetiva da vacuidade, e, desse modo, lançam as bases para os ensinamentos do Vajrayana, ou Tantra. Com essa compreensão, notamos que os primeiros ensinamentos do Buda lançaram uma base para os ensinamentos posteriores, que acentuam e detalham temas tratados superficialmente nos primeiros ensinamentos, complementando-os. Assim entendido, verifica-se que a forma de Budismo que floresceu no Tibete é ampla, abrangendo todos os ensinamentos essenciais das escrituras do Theravada, Mahayana e Vajrayana. É muito importante entender que os ensinamentos centrais da tradição Theravada manifestados nas escrituras em páli são a fundação dos ensinamentos budistas. Começando por esses ensinamentos, a pessoa pode se aproximar dos insights contidos nas explicações detalhadas da tradição em sânscrito do Mahayana. Por fim, integrando as técnicas e perspectivas dos textos do Vajrayana, pode intensificar o seu entendimento. Mas, sem um alicerce nos ensinamentos centrais manifestados na tradição páli, não faz sentido proclamar-se um seguidor do Mahayana.[10]

Se a pessoa possui esse tipo de entendimento mais profundo sobre as várias escrituras e interpretações, é poupada de nutrir noções equivocadas sobre conflitos entre os veículos "Maior" e "Menor" (*Hinayana*). Às vezes há uma tendência lamentável de certos seguidores do Mahayana de depreciar os ensinamentos do Theravada, sustentando que são ensinamentos do Veículo Menor, e que por isso não são adequados para sua prática pessoal. De modo similar, por parte dos seguidores da tradição páli, às vezes existe uma tendência de rejeitar a validade dos ensinamentos do Mahayana, afirmando que não são realmente os ensinamentos do Buda. Ao entrarmos em nossa análise do *Sutra do Coração*, é importante entender como essas tradições se complementam, sem que paire nenhuma dúvida, e como, em nível individual, cada um de nós pode integrar todos esses ensinamentos essenciais na prática pessoal.

Parte II

O Sutra do Coração

O Texto do Sutra do Coração

A Mãe Abençoada, o Coração da Perfeição da Sabedoria[11]
Em Sânscrito: *Bhagavati Prajna Paramita Hridaya*

[Esse é o primeiro segmento.][12]

FOI ASSIM QUE CERTA VEZ EU OUVI:

O Abençoado estava em Rajagriha, no Pico do Abutre, junto com uma grande comunidade de monges e de bodhisattvas, e, naquela ocasião, o Abençoado entrou em absorção meditativa sobre a variedade de fenômenos chamada aparência do profundo. Naquele momento também, o nobre Avalokiteshvara, o bodhisattva, o grande ser, contemplou claramente a prática da profunda perfeição da sabedoria e viu que até mesmo os cinco agregados são vazios de existência intrínseca.

Então, por meio da inspiração do Buda, o venerável Shariputra falou ao nobre Avalokiteshvara, o bodhisattva, o grande ser: "Como deve treinar qualquer nobre filho ou nobre filha que deseje se empenhar na profunda perfeição da sabedoria?"

Quando isso foi dito, o sagrado Avalokiteshvara, o bodhisattva, o grande ser, respondeu ao venerável Shariputra: "Shariputra, qualquer nobre filho ou nobre filha que deseje se empenhar na prática da profunda perfeição da sabedoria deve ver claramente dessa maneira: deve perceber perfeitamente que até os cinco agregados são vazios de existência intrínseca. Forma é vacuidade, vacuidade é forma; vacuidade não é outra coisa senão forma; forma também não é outra coisa senão vacuidade. Da mesma maneira, sensações, percepções, formações mentais e consciência são vazias. Portanto, Shariputra, todos os fenômenos são vacuidade; não têm características definidas; não nascem, não cessam; não são puros, não são impuros; não são incompletos, e não são completos.

A Essência do Sutra do Coração

"Portanto, Shariputra, na vacuidade não existe forma, sensações, percepções, formações mentais e consciência. Não existe olho, ouvido, nariz, língua, corpo e mente. Não existe forma, som, odor, sabor, textura e objetos mentais. Não existe elemento da visão, e assim por diante até o elemento da mente, inclusive o elemento da consciência mental. Não existe ignorância, não existe extinção da ignorância, e assim por diante até o envelhecimento e a morte e a extinção do nascimento e da morte. Do mesmo modo, não existe sofrimento, origem, cessação ou caminho; não existe sabedoria, obtenção, nem mesmo não obtenção.

"Dessa maneira, Shariputra, uma vez que os bodhisattvas não têm nada a obter, eles confiam nessa perfeição da sabedoria, e nela permanecem. Não tendo obscurecimento em suas mentes, eles não têm medo e, por irem completamente além do erro, alcançarão o nirvana final. Todos os budas dos três tempos também obtiveram o pleno despertar da iluminação insuperável e perfeita ao confiar nessa profunda perfeição da sabedoria.

"Assim, deve-se saber que o mantra da perfeição da sabedoria – o mantra do grande conhecimento, o mantra insuperável, o mantra igual ao inigualável, o mantra que subjuga todo o sofrimento – é verdadeiro porque não é enganoso. O mantra da perfeição da sabedoria é proclamado:

tadyatha gate gate paragate parasamgate bodhi svaha!

Shariputra, os bodhisattvas, os grandes seres, devem treinar na perfeição da sabedoria dessa forma."

A seguir, o Abençoado saiu daquela absorção meditativa e elogiou o sagrado Avalokiteshvara, o bodhisattva, o grande ser, dizendo: "Excelente! Excelente! Oh, nobre filho, é exatamente isso; é exatamente assim que deve ser. Deve-se praticar a profunda perfeição da sabedoria exatamente como você revelou, pois até os tathagatas se regozija."

Quando o Abençoado proferiu essas palavras, o venerável Shariputra, o sagrado Avalokiteshvara, o bodhisattva, o grande ser, junto com toda a assembleia, incluindo os mundos dos deuses, humanos, asuras e gandharvas, todos se regozijaram e saudaram o que o Abençoado havia dito.

capítulo 6

A Abertura

OS SUTRAS DA PERFEIÇÃO DA SABEDORIA

Conta-se que existem 84 mil coleções de discursos que o Buda ensinou, de acordo com as diversas disposições mentais e inclinações espirituais dos seres sencientes. A literatura da Perfeição da Sabedoria, o *Prajnaparamita*, é o principal gênero deles. Faz parte da tradição budista em sânscrito e inclui o *Sutra do Coração*, também chamado *Sutra do Coração da Sabedoria,* que examinaremos em detalhes. Enfatizando o ideal Mayahana do bodhisattva que aspira libertar todos os seres, os Sutras da Perfeição da Sabedoria floresceram em muitos países, inclusive na China – de onde foram levados para o Japão, Coreia e Vietnã – e no Tibete, de onde foram transmitidos para a Mongólia, para a vastidão da região trans-Himalaia, e para áreas da federação russa. Nas modalidades de Budismo que se desenvolveram em todos esses países, o *Sutra do Coração* desempenha um importante papel – de fato, em muitos casos, o praticante deve recitá-lo todos os dias.

No Tibete, os Sutras da Perfeição da Sabedoria também se tornaram um tema significativo de exposição erudita nos colégios monásticos. Um monge deve passar em média de cinco a sete anos estudando esses sutras e também os comentários sobre eles; existem no mínimo 21 comentários indianos que foram traduzidos para o tibetano e outros originados no próprio Tibete. O estudo dos Sutras da Perfeição da Sabedoria é enfatizado em todas as quatro escolas do Budismo Tibetano – Nyingma, Sakya, Kagyu e Gelug.

Podemos perceber a importância desses sutras em uma história sobre Jamyang Shepa, famoso erudito e iniciado tibetano do século XVIII, que

A Essência do Sutra do Coração

era tanto um escritor famoso quanto um praticante inteiramente realizado. Uma ocasião, ele foi desafiado por um interlocutor que lhe perguntou: "Você possui grande reputação como mestre da literatura da Perfeição da Sabedoria. Isso significa que sua perícia em outros campos, como a filosofia do Caminho do Meio (Madhyamaka), não é tão grande?" Jamyang Shepa respondeu afirmando que, se alguém examina a filosofia Madhyamaka, ela apresenta o ponto de vista filosófico dos Sutras da Perfeição da Sabedoria; se examina o estudo de epistemologia, ele representa os métodos de indagação que são em essência um meio para se entender a Perfeição da Sabedoria; se examina o *Vinaya* (a disciplina monástica), ele apresenta os preceitos que o praticante da Perfeição da Sabedoria deve observar; e se examina o Abhidharma, verifica que sua taxonomia da realidade é central aos Sutras da Perfeição da Sabedoria. Desse modo, Jamyang Shepa afirmou que a Perfeição da Sabedoria é a origem de todos os outros campos de estudo.

Em termos gerais, existem muitos diferentes textos dentro dos Sutras da Perfeição da Sabedoria. Os que foram traduzidos para o tibetano são conhecidos em conjunto como as *Dezessete Escrituras Mãe e Filho*. O *Sutra do Coração* é um desses textos, e às vezes é também conhecido como os *Vinte e Cinco Versos sobre a Perfeição da Sabedoria*.

Existem versões um pouco diferenciadas do *Sutra do Coração*; parece haver, por exemplo, uma pequena variação entre as versões tibetana e chinesa. Na versão chinesa, o texto começa com a apresentação do ensinamento sobre a vacuidade, ao passo que a versão tibetana aparece uma seção preliminar descrevendo o contexto no qual o Buda transmitiu esse ensinamento pela primeira vez. Assim como a versão tibetana, a versão chinesa oferece uma apresentação da vacuidade em termos do que é conhecido como a "vacuidade quádrupla", mas fiquei sabendo que a versão japonesa apresenta uma "vacuidade sêxtupla". Para nossos propósitos neste livro, usaremos a versão tibetana do *Sutra do Coração da Sabedoria*.

No Budismo Tibetano, antes de se começar um ensinamento como esse, tem-se por tradição dizer como se recebeu a linhagem de transmissão do texto. Eu recebi a versão oral dessa importante escritura, mas a linhagem para a transmissão de seu comentário não sobreviveu até hoje. No entanto, recebi as comunicações sobreviventes dos comentários sobre

A Abertura

outros Sutras da Perfeição da Sabedoria, como a *Perfeição da Sabedoria em Oito Mil Versos*.

O TÍTULO E A HOMENAGEM

A Mãe Abençoada, o Coração da Perfeição da Sabedoria
Em sânscrito: *Bhagavati Prajna Paramita Hridaya*

O *Sutra do Coração* começa com a declaração de seu título. Mesmo no texto tibetano, está incluída a declaração do título em sânscrito: *Bhagavati Prajna Paramita Hridaya*. Dar o título em sânscrito no início de um texto tibetano indica que sua origem é autêntica, além de demonstrar o enorme respeito que os tibetanos tradicionalmente manifestam por textos traduzidos da linguagem indiana e pela tradição indiana em si.

O Budismo no Tibete começou por volta do século VII. Naquela época, o monarca tibetano Songtsen Gampo tinha uma princesa chinesa, Wen-ching, como uma de suas rainhas, e a influência dela contribuiu para levar o Budismo Chinês para o Tibete. No entanto, a despeito da influência de Wen-ching sobre Songtsen Gampo, a transmissão primordial do Budismo para o Tibete veio da Índia.

Esse fato fica evidente ao verificarmos o conjunto do cânone tibetano. Existem mais de cem volumes do *Kangyur* – traduções das palavras sagradas –, todos atribuídos ao Buda. Existem mais de duzentos volumes do *Tengyur* – traduções dos tratados –, que representam a coleção dos comentários autênticos. Nessa coleção, com mais de trezentos grossos volumes, poucos contêm traduções de fontes chinesas, sendo um deles o conhecido comentário sobre o *Sutra que Desvenda o Pensamento do Buda (Samdhinirmochanasutra)*. Existem ainda poucos textos sobre o Vinaya, a disciplina monástica, traduzidos de fontes em páli. Mas, com exceção desses poucos textos, o conjunto do cânone budista foi traduzido para o tibetano a partir do sânscrito.

Os eruditos concordam que as traduções tibetanas das fontes indianas são fiéis aos originais. Ao longo do tempo, a tibetana e a chinesa torna-

A Essência do Sutra do Coração

ram-se as duas linguagens não indianas mais importantes na transmissão do Mahayana de um país para outro, dando origem a numerosas outras variedades de Budismo Mahayana. Da tradição do Budismo em língua chinesa desenvolveram-se outras formas de Budismo no leste da Ásia, ao passo que das escrituras em linguagem tibetana evoluíram o Budismo Mongol e o Budismo encontrado na região trans-Himalaia. Até hoje, o tibetano permanece sendo uma das linguagens vivas mais importantes para a transmissão acurada das práticas e ensinamentos relacionados ao veículo do bodhisattva.

O título do texto tibetano do *Sutra do Coração* diz: "O Coração da Perfeição da Sabedoria, o Bhagavati". O termo *Bhagavati* tem a conotação de "mãe". Desse modo, a Perfeição da Sabedoria é semelhante à mãe que dá à luz os *aryas*, ou nobres seres. No título, Perfeição da Sabedoria indica o tema do texto. A palavra *coração* sugere que, dentre o vasto conjunto dos Sutras da Perfeição da Sabedoria, o texto em pauta é o seu âmago – uma apresentação concisa dos ensinamentos detalhados no conjunto dos Sutras da Perfeição da Sabedoria. O sutra repousa, por assim dizer, no coração desses ensinamentos.

Na versão tibetana do texto, o tradutor presta homenagem à mãe, a Perfeição da Sabedoria. Um tempo depois de essa tradução ter sido feita, consolidou-se um costume no Tibete, estabelecido por decreto real, de que os tradutores escolhessem entidades específicas para prestar homenagem no início de um texto que traduzissem. Essa dedicatória servia para identificar à qual das três coleções de escrituras – Abhidharma, Sutra ou Vinaya – pertencia a obra. Se o texto pertencesse à coleção do Abhidharma – os ensinamentos sutis da psicologia tibetana –, a homenagem caberia a Manjushri, entendido como a corporificação do conhecimento e da sabedoria. Se o texto pertencesse à coleção do Sutra, prestava-se a homenagem a todos os budas e bodhisattvas. Se o texto pertencesse ao Vinaya, então a homenagem seria à mente onisciente do Buda. Por meio desse costume, era fácil identificar a qual categoria o texto pertencia.

No texto tibetano do *Sutra do Coração*, logo após a homenagem do tradutor, existe uma dilaceração simples: "Esse é o primeiro segmento". Em geral, os segmentos eram assim identificados para ajudar a assegurar que, no futuro, não ocorressem dilacerações no texto, como acréscimos ou omissões. Uma vez que o *Sutra do Coração* é um texto curto, com tamanho equivalente a 25 versos, é designando como tendo apenas um segmento.

A Abertura

A ORIGEM DO ENSINAMENTO

A parte principal do texto começa apresentando o contexto, o cenário onde ocorreu o ensinamento. De fato, existem dois contextos diferentes: o comum, que fornece uma descrição da origem mundana do texto, e o incomum, que apresenta uma descrição da origem absoluta do ensinamento. A respeito do contexto comum, o texto diz:

> Foi assim que certa vez eu ouvi: o Abençoado estava em Rajagriha, no Pico do Abutre, junto com uma grande comunidade de monges e de bodhisattvas, e, naquela ocasião, o Abençoado entrou em absorção meditativa sobre a variedade de fenômenos chamada aparência do profundo.

Desse modo, o texto indica que as três condições, chamadas *condições perfeitas*, foram reunidas: a presença de um professor perfeito, no caso o Buda Shakyamuni; a presença de uma congregação perfeita de ouvintes, consistindo aqui de uma grande comunidade de monges e bodhisattvas; e as duas primeiras condições ocorreram no local perfeito, o Pico do Abutre em Rajagriha. "Grande comunidade de monges" refere-se à sangha absoluta, a dos grandes arhats.

Quanto ao contexto incomum para a origem do texto, é dito: "O Abençoado entrou em absorção meditativa sobre a variedade de fenômenos chamada aparência do profundo." O Buda aqui é citado como *Bhagavan*, traduzido como "Abençoado". O termo sânscrito *Bhagavan* faz alusão a alguém que transcedeu todas as forças da negatividade, ou seja, as quatro forças obstrutivas, ou *maras*: os maras das aflições, dos agregados, da morte e do apego à gratificação sensorial (*devaputra* em sânscrito, "juventude divina", literalmente).

O Bhagavan transcendeu totalmente todas essas forças obstrutivas e está livre de todos os efeitos e limitações provocados pelas forças obstrutivas – todos os fatores que obscurecem a verdadeira visão foram removidos. Dizemos que os obscurecimentos foram removidos, em vez de dizer que um novo tipo de visão é obtido, porque a cognição tem a capacidade natural de entender ou saber e, uma vez que não existam mais forças obstruti-

A Essência do Sutra do Coração

vas impedindo seu pleno funcionamento, essa capacidade natural se torna plenamente aparente. Esse estado de clareza é o estado onisciente, a mente onisciente. De fato, uma das principais características da mente onisciente do Buda é perceber as verdades relativas e absolutas ao mesmo tempo, dentro de um único evento cognitivo; ao passo que, embora os seres não inteiramente despertos possam ter algum insight do absoluto e relativo, devem alternar entre as duas perspectivas.

O texto a seguir afirma que o Buda entrou em concentração meditativa sobre a variedade dos fenômenos chamada "a aparência do profundo". Aqui, "profundo" refere-se à vacuidade, que muitas vezes é descrita como "talidade"* ou "as coisas exatamente como são". A vacuidade é chamada "profundo" porque, para captá-la, o entendimento da pessoa deve penetrar em profundidade. Isso é algo muito difícil para a mente ordinária.

Essência e forma

O Buda plenamente iluminado, que tinha superado por completo todas as limitações e negatividade e galgado todos os níveis de realização, era uma manifestação da perfeição da sabedoria. Essa perfeição da sabedoria, o verdadeiro Dharma, é personificada na realização da cessação do sofrimento e no caminho que leva à cessação.

Uma vez que veneramos e admiramos o fruto do Dharma – o estado resultante de iluminação plena –, devemos venerar e admirar também todas as causas e condições que dão origem a esse estado. Tais circunstâncias podem ser profundas e transcendentais, tais como as três condições perfeitas mencionadas acima, ou simples e mundanas, como o fato de que, quando o Buda ensinou o Sutra da Perfeição da Sabedoria, ele ajeitou o assento sobre o qual se sentou para dar o ensinamento. De modo similar, muitas vezes verificamos nas escrituras que, quando o Buda ia dar um ensinamento, os membros da comunidade monástica dobravam seus trajes amarelos e os empilhavam um em cima do outro para fazer uma almofada

---

(*) Em inglês, *suchness*. A palavra "talidade" está sendo adotada por budistas no Brasil como tradução para *suchness* (*tathata*, em sânscrito). (N. da T.)

A Abertura

sobre a qual o Buda iria sentar. Tal veneração, entretanto, não se destina à pessoa em si por causa de sua grandeza, mas sim ao ensinamento que o professor personifica e exemplifica. Entender esse ponto é importante.

Na tradição tibetana, quando se dá um ensinamento, é comum que o professor sente-se em um trono. Entretanto, isso não significa que a pessoa sentada no trono seja sagrada ou preciosa, mas sim que o ensinamento que está sendo dado é digno de admiração e veneração. Para indicar isso, há o costume de o professor fazer três prostrações antes de se sentar. Uma vez que se instale no trono, ele recita alguns versos de um sutra que reflita sobre a natureza transitória de todos os fenômenos. Esse costume tem duas funções principais: a primeira é lembrar ao professor e todos os presentes de que é ao ensinamento que se deve prestar reverência, e a segunda é desfazer qualquer sensação de orgulho que possa surgir quando um professor senta-se em um trono alto para dar uma preleção. Além disso, o trono e o ritual que o cerca servem para o professor lembrar de elevar-se acima das impurezas das motivações mundanas para ensinar.

O perigo do orgulho é muito real. No Tibete, infelizmente, às vezes houve competições entre os lamas para ter o trono mais alto. Existe no Tibete até mesmo uma expressão que fala da "síndrome do trono"! Na autobiografia do quinto Dalai Lama, consta que, durante seus ensinamentos, os organizadores do evento, cientes da síndrome, arrumavam os tronos dos lamas na plateia para que ficassem da mesma altura. Contudo, alguns ajudantes espertos dos lamas davam um jeito de enfiar lousas embaixo das almofadas de alguns tronos, de modo que, embora fossem exatamente da mesma altura, certos lamas ainda assim ficavam mais altos que os outros. Ignorando o verdadeiro significado do Dharma, algumas pessoas julgavam o nível de realização espiritual dos lamas conforme um critério tolo como esse. Além de julgar a importância dos lamas em termos da altura de seus tronos, as pessoas também julgavam-nos em termos do número de cavalos em sua caravana, concluindo que, por ter muitos cavalos, um professor deveria ser um lama de grande realização – a despeito de saberem perfeitamente bem que um bandido bem-sucedido também teria muitos cavalos em sua caravana!

Obviamente, a maneira adequada de julgar a qualidade de um lama deve basear-se em seu conhecimento, prática e realização espiritual, não

A Essência do Sutra do Coração

em fatores externos. Ao se olhar a história do Budismo no Tibete, houve grandes professores espirituais, como Milarepa, que parecia um mendigo, e Dromtonpa, mestre Kadampa, que era um grande professor e mesmo assim permaneceu sendo um nômade simples e humilde. No século XX, vemos professores como Dza Patrul Rinpoche, mestre Dzogchen que, pelo aspecto externo, parecia uma pessoa miserável, como um andarilho errante. Esses professores espirituais verdadeiramente eminentes não ostentavam nenhum sinal externo de grandeza.

A ênfase colocada sobre os chapéus que os lamas usam no Tibete é outro exemplo para conferir respeito a um professor pelos motivos errados. Vocês devem ter ouvido falar das chamadas linhagens dos chapéus amarelos ou dos chapéus vermelhos. Se observarmos o exemplo de nosso professor original, o Buda Shakyamuni, ele não usava nenhum chapéu, claro. E, embora mestres budistas indianos como Nagarjuna e Asanga sejam muitas vezes retratados usando chapéus nas pinturas das *tangkas* tibetanas, isso pode não ser verdadeiro em termos históricos. No Tibete existe um motivo sensato para se usar chapéus: faz frio! Em especial se o professor é careca, é claro que o chapéu mostra-se muito útil. Contudo, os tibetanos extrapolaram, elaborando chapéus de modelos e tamanhos tão rebuscados que chegaram ao ponto de desenvolver uma tendência pela qual diferentes escolas podem ser distinguidas pelos chapéus. Acho isso lamentável.

É extremamente importante para nós adotar a essência dos ensinamentos do Buda e entender os ensinamentos dos grandes mestres indianos, como os do Mosteiro de Nalanda. A verdadeira medida para avaliar a importância de qualquer ensinamento deve ser se ele é ou não o Dharma verdadeiro, que serve para nos liberar do sofrimento. O mais importante é se os pontos de vista filosóficos, a conduta ética e as práticas meditativas de um professor estão de acordo com os ensinamentos do Buda Shakyamuni e dos mestres indianos. Embora rituais externos, como bater tambores, tocar címbalos, usar trajes sofisticados e executar danças, tenham um lugar no conjunto da vida espiritual, devemos discernir o que é mais relevante.

Isso é especial hoje em dia, quando o Budismo chega ao Ocidente. Se perdermos de vista o verdadeiro significado dos ensinamentos, existe

A Abertura

o perigo de os estudantes ocidentais de Budismo adotarem os aspectos errôneos da cultura do Budismo Tibetano – formas e acessórios externos, em vez da verdade interior. Infelizmente, há alguns indicativos de que isso já possa estar acontecendo, com algumas pessoas que se apresentam como professores vestindo trajes bizarros.

Deixem-me dar outro exemplo. Quando recentemente visitei a Alemanha, meus anfitriões conseguiram uma tangka para ser colocada no meu quarto do hotel. Era uma tangka de Avalokiteshvara, e embaixo de Avalokiteshvara havia a figurinha de um monge. Sem dúvida, seria apropriado existir um monge na parte inferior de uma tangka de Avalokiteshavara se o monge estivesse, digamos, fazendo uma oferenda de mandala para Avalokiteshvara, ou se fosse retratado em uma posição meditativa no canto. Contudo, não era assim: o monge estava tocando tambor e címbalo, e perto dele havia a figura de um leigo segurando um *serkyem*, recipiente ritual para bebida, usado para se fazer oferendas às deidades protetoras. Isso é totalmente impróprio, porque no Tibete recorrem-se às deidades protetoras frequentemente para aspirações mundanas, e não espirituais. Mais tarde descobri que o autor era um ocidental. O artista deve ter imitado formas externas do que imaginou que fosse o estilo do "Budismo Tibetano", ou talvez tenha imaginado que Avalokiteshvara fosse uma espécie de protetor mundano, mas com certeza não captou o significado por trás das formas.

Esse tipo de ênfase errônea não é de modo algum endêmica aos ocidentais. Se alguém entrar em um templo típico de um mosteiro tibetano, por exemplo, encontrará uma imagem do Buda Shakyamuni no centro do salão, que é o lugar correto dela. Para praticantes budistas, o Buda Shakyamuni é nosso professor e guia, aquele que nos revela o caminho para a iluminação. Portanto, devemos confiar nosso bem-estar espiritual inteiramente ao Buda Shakyamuni. Se precisamos ter uma noção de medo – das nossas ações negativas, por exemplo –, o medo deve vir da reverência ao Buda e a seus ensinamentos sobre o karma. Entretanto, muitas vezes não é assim. Em tais templos, as pessoas podem prestar homenagem ao Buda e tocar a imagem com suas cabeças – mas dedicam maior atenção ao canto do templo, onde há uma salinha escura, chamada santuário do protetor. Cada mosteiro tem seu protetor, que é retratado com uma expressão de ira. Quando os tibetanos

A Essência do Sutra do Coração

entram nessa sala, sussurram com uma sensação de temor respeitoso e até se apavoram diante do protetor. Se fazem alguma oferenda, em geral fazem-na para o protetor, e não para o Buda no salão principal.

No santuário do protetor, em geral existe um monge encarregado de fazer as oferendas de bebida ritual, que inclui chá e álcool. Alguém me contou que no Tibete, certa vez, havia um monge em um desses santuários cuja tarefa principal era realizar sempre o ritual de servir a bebida da oferenda. Depois de um tempo, começou a crescer cabelos na cabeça do monge, que no início era careca. Alguém lhe perguntou: "Como é que agora você tem cabelo?", e o monge respondeu: "Não sei ao certo, mas, cada vez que faço a oferenda da bebida, limpo as gotas que caem em minha mão na minha cabeça". Assim, para os carecas que gostariam de ter cabelo, talvez essa fosse a solução!

É importante para todos nós – incluindo eu mesmo –, que nos consideramos seguidores do Buda, examinarmos com constância nosso interior, nossas motivações, e mantermos nossa aspiração de libertar todos os seres do sofrimento. Esse é um desafio particular para mim em minha função de líder secular e religioso do povo tibetano. Embora a prática de fundir poder secular e religioso tenha beneficiado o Tibete em algumas ocasiões no passado, deficiências nesse sistema levaram a situações de mau governo e sofrimento. No meu caso, embora raramente experimente uma sensação de orgulho quando sento em um alto trono para dar um ensinamento, se eu deixar meus pensamentos sem controle, podem surgir interesses mundanos em algum cantinho da minha mente. Por exemplo, posso me sentir lisonjeado se alguém elogiar minha palestra, ou me sentir entristecido se alguém a criticar. Esse é um tipo de vulnerabilidade aos interesses mundanos. Com o objetivo de se assegurar de que a prática do Dharma se torne verdadeiramente uma prática do Dharma, certificar-se de que o estado da mente e a motivação não estão maculados pelo que os mestres tibetanos chamam *oito interesses mundanos*.[13]

Sentar-se em um trono e deter controle político pode ser muito sedutor, e um professor deve manter-se sempre vigilante. Devemos recordar o exemplo do Buda, que não detinha nenhum poder mundano, e no começo do *Sutra do Coração* simplesmente sentou-se e entrou em meditação.

capítulo 7

Entrada no Caminho do Bodhisattva

O Bodhisattva Avalokiteshvara

O texto do *Sutra do Coração* prossegue da seguinte forma:

> Naquele momento também, o nobre Avalokiteshvara, o bodhisattva, o grande ser, contemplou claramente a prática da profunda perfeição da sabedoria e viu que até mesmo os cinco agregados são vazios de existência intrínseca.

Depois do Buda, a próxima pessoa a encontrarmos no sutra é o bodhisattva Avalokiteshvara. O termo *bodhisattva*, na tradução para o tibetano, é formado por dois termos: *jangchub* (*bodhi* em sânscrito), significando "iluminação", e *sempa* (*sattva* em sânscrito), significando "herói" ou "um ser". Assim, a composição *jangchub sempa* significa "herói iluminado". No termo *jangchub* – "iluminação" – a primeira sílaba, *jang*, refere-se à superação e eliminação de todas as forças obstrutivas, e a segunda sílaba, *chub*, significa a realização do pleno conhecimento. A segunda parte do termo – *sempa*, ou "ser heroico" – refere-se à qualidade da grande compaixão do bodhisattva. Diz-se que os bodhisattvas são seres que, movidos por profunda compaixão, jamais desviam a atenção dos seres sencientes; estão perpetuamente preocupados com o bem-estar de todos os seres e se dedicam inteiramente a garantir esse bem-estar. Assim, o próprio nome *bodhisattva* indica um ser que, por meio da sabedoria, enfoca heroicamente a obtenção da iluminação movido pela preocupação compassiva com todos os seres. A palavra em si carrega as qualidades-chave de um ser infinitamente altruísta.

A Essência do Sutra do Coração

O bodhisattva mencionado no texto é Avalokiteshvara, conhecido como Chenrezig em tibetano. O significado do nome Chenrezig indica um bodhisattva que, movido por grande compaixão, jamais desvia a atenção dos seres sencientes, fitando-os sempre com um senso de profunda preocupação. Ele também é chamado Lokeshvara (*Jigten Wangchug* em tibetano), que significa em tradução literal "o mestre consumado do mundo". No contexto do *Sutra do Coração*, Avalokiteshvara aparece na forma de um bodhisattva do décimo nível.[14]

A seguir, o texto menciona: "O grande ser contemplou a prática da profunda perfeição da sabedoria". Isso significa que Avalokiteshvara contemplou *a maneira de praticar* a profunda perfeição da sabedoria. A linha seguinte esclarece que maneira é essa, declarando: "[Ele] viu que até mesmo os cinco agregados são vazios de existência intrínseca". Esse é o significado de praticar a perfeição da sabedoria.

De modo geral, é afirmado que existem três tipos principais de escrituras atribuídas ao Buda: as palavras ditas pelo próprio Buda, as palavras ditas por um bodhisattva ou discípulo em nome do Buda, e as palavras ditas por discípulos ou bodhisattvas diretamente inspirados pelo Buda. Enquanto essa parte preliminar do *Sutra do Coração* pertence à segunda categoria, no que se refere ao contexto da origem do ensinamento, o corpo principal do texto pertence à terceira categoria, como demonstra a passagem a seguir:

> Então, por meio da inspiração do Buda, o venerável Shariputra falou ao nobre Avalokiteshvara, o bodhisattva, o grande ser: "Como deve treinar qualquer nobre filho ou nobre filha que deseje se empenhar na profunda perfeição da sabedoria?"

Shariputra era um dos dois discípulos principais do Buda e considerado aquele que possuía o mais claro entendimento da vacuidade. Aqui, entretanto, Shariputra deve ser considerado como um bodhisattva consumado, e não um simples discípulo. Conforme o texto indica, o Buda na verdade não profere esse ensinamento específico; em vez disso, permanece absorto na concentração meditativa sobre a variedade de fenômenos chamada aparência do profundo. Porém, é a concentração meditativa do Buda que inspira Avalokisteshvara e Shariputra a terem esse diálogo, que dá origem ao ensinamento contido no *Sutra do Coração*. Com a introdução da pergunta de Shariputra, tem início a parte principal do ensinamento sobre a perfeição da sabedoria.

NOBRES FILHOS E NOBRES FILHAS

No texto lê-se que: "O venerável Shariputra falou ao nobre Avalokiteshvara, o bodhisattva, o grande ser: 'Como deve treinar qualquer nobre filho ou nobre filha que deseje se empenhar na profunda perfeição da sabedoria?'" Essa referência aos "nobres filhos e nobres filhas" significa literalmente os filhos e filhas da linhagem (*rig* em tibetano), ou da família, o que, em geral, pode ser entendido como alguém que despertou sua natureza de Buda, o potencial inato para a iluminação. No texto, contudo, a referência subentendida refere-se aos três tipos de seres que realizam os três tipos de iluminação – um *shravaka* ("ouvinte"), um *pratyekabuddha* ("realizador solitário") e um buda. Especificamente, a referência subentendida é alguém cuja inclinação espiritual volta-se para o caminho do bodhisattva rumo ao estado de buda; alguém que desperta para tal inclinação por meio do cultivo de grande compaixão.

Essa passagem do texto, então, refere-se aos praticantes que possuem profunda admiração pelas práticas espirituais, conforme representadas pelas seis perfeições,[15] que são os treinamentos-chave dos bodhisattvas, cuja mente é dominada pela poderosa compaixão que aspira liberar todos os seres sencientes do sofrimento. Essa poderosa compaixão impregna o coração e desperta a inclinação para se entrar no caminho do bodhisattva. Os "nobres filhos e nobres filhas" são aqueles que geraram essa compaixão e despertaram essa inclinação.

A referência aos "nobres filhos e nobres filhas" no texto tem um significado adicional que os praticantes modernos devem considerar. Essa frase indica que, com relação à eficácia da prática da perfeição da sabedoria, não há diferença baseada no sexo. De fato, isso é verdade também para todos os aspectos-chave do caminho budista. Por exemplo, vamos examinar os ensi-

A Essência do Sutra do Coração

namentos do Vinaya sobre ética e disciplina monástica, que são essenciais para a sobrevivência contínua do Buddhadharma.

Diz-se que onde o Vinaya, simbolizado pela prática dos três ritos, está presente, os ensinamentos do Buda também estão presentes, e, onde está ausente, os ensinamentos do Buda também estão ausentes.[16] Se analisarmos os ensinamentos éticos, preceitos e práticas da vida monástica com atenção, veremos que as oportunidades são dadas igualmente para praticantes homens e mulheres. No Vinaya existe a tradição de ordenação plena tanto para mulheres quanto para homens; e, no que tange aos preceitos efetivos que cada um assume, não há entendimento de que um conjunto de preceitos seja mais elevado que o outro. Embora, devido aos preconceitos culturais da Índia antiga, os homens plenamente ordenados, ou *bhikshus*, fossem considerados superiores às mulheres plenamente ordenadas, *bhikshunis*, não existe diferença hierárquica nos votos em si.

Acho que, compreendido que não há discriminação baseada no sexo nos ensinamentos autênticos, os ensinamentos do Vinaya, que refletem o preconceito sexual de uma dada sociedade e época, precisam ser examinados com cautela, e se possível reconsiderados. Podem existir áreas onde reformas e modificações sejam necessárias. Na tradição monástica tibetana, por exemplo, seguimos o que é chamado tradição Vinaya *Mulasarvastivada*, pela qual uma cerimônia de ordenação completa para mulheres só pode ser conduzida mediante a reunião de homens e mulheres plenamente ordenados. Acontece que atualmente a ordem de mulheres plenamente ordenadas na tradição do Vinaya simplesmente extinguiu-se; e, já que a existência de mulheres ordenadas é uma condição necessária para se ordenar outras mulheres nessa tradição, significa que, efetivamente, não seria possível para as mulheres receberem ordenação completa na tradição do Vinaya que seguimos no Budismo Tibetano.[17]

Embora seja solidário com aqueles que desejam corrigir essas iniquidades, mudanças no Vinaya só podem ser feitas de modo coletivo, por meio de discussão e consenso; não é um assunto que possa ser decidido por uma só pessoa. Além disso, como a prática do Vinaya é comum a muitas categorias budistas, como o Theravada, tibetano e chinês, a questão de se modificar as práticas precisa ser discutida entre as tradições. Uma vez que os membros das várias tradições empreendam um estudo global de suas próprias tradições para determinar quais são as regras e exceções gerais, poderemos examinar coletivamente como responder da melhor maneira às mudanças dos tempos e dos contextos culturais. Essa é uma questão que exige séria reflexão.

Natureza de buda

Anteriormente, observamos que a expressão "nobre filho ou nobre filha" refere-se a uma pessoa cuja inclinação espiritual para o caminho do bodhisattva foi despertada. A palavra *natureza* (*gotra* em sânscrito) é usada de modo diferente nos textos Mahayanas e não Mahayanas. Nos textos não Mahayanas, *gotra* pode referir-se a inclinações condizentes com a prática espiritual, tais como ter desejos modestos e capacidade para se contentar. Os textos Mahayanas, entretanto, usam *gotra* para se referir à verdadeira natureza do indivíduo, também chamada *natureza de buda*.

Dentro do Mahayana, a expressão *natureza de buda* possui diferentes nuances de significado. Na Escola Mente Apenas, *natureza de buda* refere-se à nossa mente fundamental não contaminada, que, quando não utilizada, é considerada nossa natureza de buda "naturalmente existente" e, quando desperta, é considerada nossa natureza de buda "transformada". A natureza de buda naturalmente existente também é conhecida como *nirvana natural*, ou liberação natural, pois existe de maneira natural em todos nós. É devido à presença desse nirvana natural que os poluentes que obscurecem sua manifestação são considerados separáveis da natureza essencial da mente, tornando possível a iluminação. Na Escola do Caminho do Meio, a natureza de buda recebe uma outra definição: é definida em termos de vacuidade, mais especificamente, a vacuidade de existência intrínseca da mente. Isso também é chamado natureza de clara luz da mente.

As coisas como elas são

Seguindo-se à indagação de Shariputra para Avalokiteshvara, lê-se um trecho que une a pergunta à resposta:

A Essência do Sutra do Coração

> Quando isso foi dito, o sagrado Avalokiteshvara, o bodhisattva, o grande ser, respondeu ao venerável Shariputra: 'Shariputra, qualquer nobre filho ou nobre filha que deseje se empenhar na prática da profunda perfeição da sabedoria deve ver claramente dessa maneira: deve ver perfeitamente que até os cinco agregados são vazios de existência intrínseca. Forma é vacuidade, vacuidade é forma; vacuidade não é outra coisa senão forma; forma também não é outra coisa senão vacuidade. Da mesma maneira, sensações, percepções, formações mentais e consciência são todas vazias. Portanto, Shariputra, todos os fenômenos são vacuidade; não têm características definidas; não nascem, não cessam; não são puros, não são impuros; não são incompletos, e não são completos."

A seguir, o texto apresenta a resposta de Avalokiteshvara para a pergunta de Shariputra, primeiro em um resumo conciso, depois em maiores detalhes. Vou explicar o significado dessas seções do *Sutra do Coração* em relação ao assunto explícito, que é o ensinamento sobre a vacuidade. E, posteriormente, na discussão do mantra do Coração da Sabedoria, explicarei o tema implícito, que são os estágios do caminho associados à sabedoria da vacuidade.

A resposta concisa de Avalokiteshvara é que os nobres filhos e nobres filhas devem olhar com insight, de forma correta e repetida, que "até os cinco agregados são vazios de existência intrínseca". O termo "até" indica que uma lista abrangente de fenômenos será incluída nessa apresentação da vacuidade. Os cinco agregados (conhecidos em sânscrito como *skandha*) são os elementos físicos e mentais que juntos constituem a existência de uma pessoa. Visto que os cinco agregados são desprovidos de existência intrínseca, assim é também a pessoa constituída desses agregados. E, visto que o "eu", o indivíduo, é desprovido de existência intrínseca, de individualidade, do mesmo modo todas as "minhas" coisas também são desprovidas de existência intrínseca. Em outras palavras, não só a pessoa – o "que se apropria" dos agregados físicos e mentais – carece de existência intrínseca, mas também todos os agregados físicos e mentais – os "que são apropriados" – carecem de existência intrínseca.

Quando se analisa dessa maneira, verifica-se que todos os fenômenos compostos são desprovidos de existência intrínseca. Uma vez que todos os

Entrada no Caminho do Bodhisattva

fenômenos compostos são vazios de existência intrínseca, todos os fenômenos não compostos também são vazios de existência intrínseca. Da mesma forma que os seres sencientes presos na existência samsárica são desprovidos de existência intrínseca, também os budas são desprovidos de existência intrínseca. Por fim – e esse é um ponto fundamental –, até mesmo a própria vacuidade é desprovida de existência intrínseca.

Ao avançarmos nesse processo de negação, pode parecer que estamos chegando à conclusão capciosa de que nada existe. Mas, se entendermos com clareza o significado de vacuidade, como espero que comecemos a fazê-lo, veremos que não é isso. Esse entendimento é sutil, e seu significado preciso é debatido entre diferentes escolas budistas. Embora todas as escolas budistas rejeitem qualquer noção de *atman*, ou eu inerente, algumas aceitam *anatman*, o não eu, apenas em relação a pessoas, e não em relação a outros fenômenos. Entre as escolas que aplicam o não eu aos outros fenômenos, existem diferentes interpretações. Algumas aplicam o não eu aos fenômenos de modo seletivo, e outras aplicam-no de maneira uniforme a todos os fenômenos. Entre os que aplicam a noção de modo uniforme, algumas negam a existência inerente até em nível convencional, enquanto outras aceitam determinadas noções convencionais de realidade intrínseca.

Como era de se prever, surgiu um extenso debate em torno dessas diferentes perspectivas, assunto que abordaremos mais adiante. O ponto principal que quero sublinhar aqui é que o fato de Avalokisteshvara dizer a Shariputra para que veja os cinco agregados como sendo vazios de existência inerente não significa que esteja afirmando que eles são inexistentes.

capítulo 8

A Ausência do Eu

Bodhichitta absoluta

Vamos voltar ao início do sutra por um instante, na parte onde o Buda entra em absorção meditativa chamada "aparência do profundo" e Avalokisteshvara contempla a prática da profunda perfeição da sabedoria. Em geral, a expressão "aparência do profundo" refere-se às ações do bodhisattva, contidas na prática das seis perfeições. Aqui, contudo, refere-se em particular à perfeição da sabedoria, conhecida como *prajnaparamita* em sânscrito. No texto, "perfeição da sabedoria" significa uma realização direta e espontânea da vacuidade, que também é chamada "bodhichitta absoluta". Não se trata apenas da realização direta da vacuidade, mas sim de sua realização direta *unida à bodhichitta* – a aspiração de se tornar um buda a fim de libertar todos os seres. Essa união de sabedoria e método constitui o primeiro *bhumi*, ou nível de consumação de bodhisattva.

A importância dessa aspiração altruística é imensa. Bodhichitta não é importante apenas como um fator de motivação no início da prática, mas como fator complementar e de reforço durante cada estágio do caminho. A aspiração de bodhichitta é dupla, abrangendo tanto o desejo de ajudar os outros quanto o de se tornar iluminado, de modo que o auxílio seja supremamente efetivo.

A DOUTRINA DO NÃO EU

Anteriormente, no resumo conciso de Avalokiteshvara para a apresentação da vacuidade, lemos que alguém que deseje se empenhar na prática da perfeição da sabedoria "deve ver claramente dessa maneira: deve ver perfeitamente que até os cinco agregados são vazios de existência intrínseca". Como vimos no capítulo anterior, o conceito dos cinco agregados está intimamente conectado com o tema da natureza e existência do eu, tópico para o qual voltaremos nossa atenção agora. Na Índia antiga, desenvolveram-se muitas escolas filosóficas que contemplaram essa questão em profundidade, e todas sublinharam a importância crítica do tema, em particular com relação ao nosso entendimento da causalidade.

Segundo afirmo com frequência, todos nós possuímos um desejo inato de ser feliz e superar o sofrimento. Mas como surge o sofrimento? Como exatamente surge a felicidade? Qual é a natureza do eu que experiencia sofrimento e felicidade? Quando tentamos entender os processos causais que sustentam o sofrimento e a felicidade, percebemos que sofrimento e felicidade surgem com base em múltiplas condições. Essas condições incluem fatores internos, tais como nossos órgãos dos sentidos, experiências, percepções, e também fatores externos, como formas, sons, odores, sabores e objetos que podem ser tocados. Isso nos leva a indagar: qual é exatamente a natureza dessas coisas que dão origem à nossa experiência de dor e prazer? Elas existem de verdade? E, caso existam, de que maneira existem?

As tradições indianas filosóficas, tanto budistas quanto não budistas, apresentaram várias respostas filosóficas às questões concernentes à origem dos mundos interno e externo, e à natureza do sujeito que passa pelas experiências. Algumas escolas de pensamento sustentam que as coisas e os eventos – incluindo o eu – vêm a existir sem nenhuma causa, ao passo que outras argumentam que existe uma causa absoluta e original que é eterna, imutável e unitária. Todas essas questões articulam-se, de um jeito ou de outro, com um entendimento do eu. Assim, vamos nos deter por um instante no exame de certos aspectos de nosso entendimento do eu.

Podemos pensar que o eu é idêntico ao corpo. Se a pessoa sente dor na mão, por exemplo, pode instintivamente pensar: "*Eu* estou com dor".

A Ausência do Eu

Embora a mão não seja o eu, a pessoa identifica-se de modo instintivo com a experiência e, nesse sentido, o senso de eu surge naturalmente em relação ao corpo.

Ao mesmo tempo, contudo, o senso de "mim" não é todo identificável com o corpo. Consideremos o seguinte exercício de raciocínio: se nos fosse oferecida a oportunidade de trocar nosso corpo velho e doente por um corpo mais jovem e saudável, é provável que ficássemos dispostos, do fundo do coração, a realizar a troca. Isso sugere que acreditamos, pelo menos em algum nível, que existe alguém, algum eu não corpóreo, que se beneficiaria com essa troca de corpos.

Podemos estender esse exercício de raciocínio ao reino mental, considerando como reagiríamos se nos fosse propiciada a oportunidade de trocar nossa mente ignorante e deludida pela mente plenamente iluminada do Buda. Com certeza estaríamos dispostos a efetuar a troca, imaginando de novo que existe alguém, um eu não mental, que se beneficiaria. Isso sugere que não identificamos o eu nem com o corpo, nem com a mente.

Em nossa visão ingênua de mundo, nos agarramos à sensação de que existe um eu que, de alguma maneira, é o mestre de nosso corpo e mente – um agente independente que carrega sua própria identidade distinta. Aqueles que acreditam em renascimento podem imaginar que é esse eu que perdura ao longo das sucessivas vidas de uma mesma pessoa. Mesmo no caso de alguém que não acredita em vidas passadas, existe a noção de uma identidade de algum modo imutável, um "mim" que percorre diferentes estágios da vida, da infância à meia-idade e assim por diante, até a velhice e morte. É evidente que temos a crença de que existe alguma coisa, em muitas vidas ou em uma vida, que retém a continuidade ao longo do tempo.

É esse senso de continuidade que, em muitas religiões não budistas, leva as pessoas a sustentar a existência de uma alma eterna, ou *atman*, unitária, imutável e independente dos componentes físicos e mentais da pessoa – em outras palavras, uma realidade absoluta. Entretanto, as escolas budistas ensinam que, se alguém procura a essência desse eu, dessa realidade absoluta, com rigor e análise crítica suficientes, inevitavelmente descobre que ela não pode ser encontrada.

Esse tipo de procura revela que é somente com base nos agregados físicos e mentais do indivíduo que se pode falar de continuidade da pessoa.

A Essência do Sutra do Coração

Assim, quando, por exemplo, o corpo e a mente (os agregados) de um indivíduo envelhecem, pode-se dizer que a pessoa envelhece. Por isso, os budistas rejeitam a noção de um princípio eterno e imutável, e, além disso, argumentam que a concepção do eu como possuindo tais características é um constructo completamente metafísico, uma fabricação mental. Embora todos os seres tenham um *senso* inato de eu, o *conceito* de um eu eterno, imutável, unitário e autônomo está presente apenas na mente daqueles que pensaram no assunto. Entretanto, depois de sua própria investigação crítica, os budistas concluíram que o eu pode ser entendido apenas como um fenômeno dependente dos agregados físicos e mentais.

Somado à negação do conceito de um eu eterno e absoluto, os budistas também negam o senso ingênuo de um eu como mestre do corpo e da mente. Visto que os budistas alegam que não se pode encontrar qualquer eu além dos componentes físicos e mentais, isso exclui a possibilidade de um agente independente que os controle. Do ponto de vista budista, a concepção não budista do eu como um princípio eterno e absoluto reforça o instinto equivocado de se acreditar em um eu que controla nosso corpo e mente. Portanto (com exceção de algumas subdivisões da Escola Vaibhashika), todas as escolas budistas clássicas rejeitam o conceito de um princípio substancialmente real e eterno chamado "eu".

OS QUATRO SELOS

Estabelecemos assim que a doutrina do não eu é primordial no Budismo. De fato, existem quatro axiomas centrais que caracterizam o entendimento budista da existência. Os quatro axiomas, conhecidos como os *quatro selos*, são:

> Todos os fenômenos compostos são impermanentes.
> Todos os fenômenos contaminados são insatisfatórios.
> Todos os fenômenos são vazios e desprovidos de autoexistência.
> O nirvana é a verdadeira paz.

Vamos examinar um de cada vez.

A Ausência do Eu

Todos os fenômenos são impermanentes

O primeiro axioma afirma que todas as coisas e eventos que experienciamos passam por um processo perpétuo de mudança e desintegração inclusive em termos de momento a momento. Todas as coisas vêm a existir a determinada altura e também cessam de existir a determinada altura – elas quebram, se desintegram ou perecem, e assim por diante. Isso é algo que todos nós podemos observar na experiência cotidiana com nossos bens, nossas enfermidades físicas e estados emocionais. Não necessitamos de nenhuma prova lógica específica para chegar a esse entendimento em termos gerais. Entretanto, para algo vir a existir e a seguir não mais existir, o processo de mudança deve estar ocorrendo sem cessar, momento a momento. A cessação de qualquer fenômeno não acontece de forma instantânea, mas sim como resultado de um processo em andamento.

Sem que se reconheça esse processo de desintegração momento a momento, fica extremamente difícil, se não impossível, entender como as coisas de repente terminam. O fato de que as coisas um dia chegam ao fim sugere que elas passam por mudanças contínuas, momento a momento. Virtualmente as escolas budistas, sem exceção, admitem que todas as coisas e eventos carregam em si a semente de seu próprio fim a partir do instante em que passam a existir. Não é que um determinado objeto ou evento cesse de existir apenas pelos efeitos de um outro objeto ou evento; ele contém a semente da cessação dentro de si mesmo.

Um exemplo pode esclarecer esse tópico: vamos considerar uma construção, como uma casa. Nosso entendimento ordinário da causalidade nos levaria a dizer que a casa cessa de existir somente porque alguém a demole. Entretanto, o fato de que todos os fenômenos compostos, nesse caso uma casa, são impermanentes, nos leva a entender que a casa um dia terá fim, quer seja demolida ou não. A casa está se deteriorando continuamente de variadas maneiras e por fim cessará porque é, por sua própria natureza, impermanente.

Assim, de acordo com o Budismo, não é que um evento cause alguma coisa, e uma outra condição posterior provoque a cessação dessa coisa, como tendemos a acreditar em nosso entendimento ingênuo do mundo. Em outras palavras, o Budismo não aceita que as coisas primeiro vêm a existir, permanecem em um estado inalterado durante um tempo e então findam de repente.

No entanto, quando concebemos a origem das coisas ou dos eventos, tendemos a ver de uma perspectiva afirmativa – uma coisa passa a existir, talvez por meio do nascimento, e persiste, quem sabe por meio do crescimento. Em contraste, quando pensamos em algo que chega ao fim, que deixa de existir, tendemos a conceber em termos negativos – a cessação de uma coisa que realmente existia previamente. Vemos os dois fatos – originação e cessação – como contraditórios e incompatíveis; imaginamos que sejam dois estados de ser que se excluem mutuamente.

Entretanto, o primeiro axioma do Budismo nos diz que, por serem impermanentes, os fenômenos passam por um processo de mudança contínua, momento a momento. Essa "momentaneidade" é a definição budista de impermanência. Quando entendemos a impermanência nesses termos, vemos que, de fato, originação e cessação não são excludentes. Ao contrário, são um fenômeno – isto é, a impermanência – visto a partir de duas perspectivas.

O simples fato de uma coisa vir a existir torna possível, e na verdade necessário, que essa coisa cesse. A originação é a condição primária para a cessação última. Assim, quando entendemos a impermanência de todas as coisas, entendemos também que elas passam pelo processo de cessação a cada momento. Esse é o significado do primeiro axioma do Budismo, de que todos os fenômenos compostos são impermanentes.

Todos os fenômenos contaminados são insatisfatórios

O segundo axioma afirma que todas as coisas e eventos contaminados são insatisfatórios, significando que todos estão na natureza do sofrimento. Como vimos no capítulo 3, existem três níveis de sofrimento. O sofrimento a que esse axioma se refere é o de terceiro nível, o sofrimento difuso que é a real natureza de nossa existência condicionada. É difuso uma vez que todas as nossas ações hoje são realizadas na ignorância sobre a verdadeira natureza dos fenômenos, e, por isso, os resultados dessas ações, nossas experiências, são todos causados pelo karma e pelas aflições mentais – e permanecem sob o domínio destes. "Contaminados" aqui simplesmente significa os produtos do karma e das aflições mentais.

Pode ser útil refletir sobre algumas passagens das escrituras. No *Sutra sobre as Dez Bases (Dasabhumi Sutra)*, o Buda faz a seguinte declaração:

A Ausência do Eu

Esse mundo inteiro dos três reinos não é nada mais que a mente.

A Escola Mente Apenas do Budismo interpreta essa passagem como significando que o mundo exterior e material que percebemos não é nada mais que uma ilusão – uma projeção de nossa mente. Contudo, outros entendem essa declaração de forma muito diversa. Ao interpretar essa declaração do sutra, Chandrakirti, por exemplo, escreveu o seguinte em seu *Complemento para o Caminho do Meio (Madhyamakavatara)*:

> Falhando em ver a "pessoa" e assim por diante –
> que são sustentados pelos *tirthikas*
> em seus próprios tratados – como o criador,
> o conquistador ensinou que apenas a mente é a criadora.[18]

Chandrakirti entende a declaração do Buda de que o mundo inteiro – o ambiente natural e os seres dentro dele – é criado pela mente como uma rejeição ao conceito de um criador independente, absoluto, divino. Mesmo assim, ainda existe um sentido no qual a própria Escola do Caminho do Meio de Chadrakirti aceita que o mundo inteiro é criado pela mente.

Como devemos entender essa ideia? Se rastrearmos a origem de nosso atual corpo físico, poderemos seguir seu continuum material até o começo do universo. Podemos discernir por meio da ciência moderna que isso quer dizer que toda a matéria que compõe nosso corpo material originou-se no Big Bang. Mas, da perspectiva da cosmologia budista tradicional, o continnum de nosso corpo material estende-se além do começo do universo material, recuando para um tempo em que o universo era vazio e permanecia no estado a que o *Kalachakra Tantra* refere-se como "partículas do espaço". Essas partículas do espaço não são absolutas ou fixas, mas sim sujeitas, como toda matéria, às leis da impermanência e mudança.

Se olhamos para o nível puramente material dos átomos ou partículas, podemos perguntar: "O que, no processo de evolução do universo físico por meio da agregação de partículas e átomos, fez o universo tornar-se diretamente relevante para a experiência de sofrimento e felicidade dos seres sencientes?" Do ponto de vista budista, é onde o karma entra em cena. *Karma* refere-se às ações empreendidas com intenção. E, dado que o desenvolvimento global de nossa existência não iluminada é consequência de nosso estado indisciplinado de mente; a mente é, em última análise, a criadora de nossa existência como um todo. Karma é o que alimenta toda a evolução da existência de uma pessoa no samsara.

Embora existam ações kármicas físicas e verbais, o karma é primeiramente um evento mental. Os atos kármicos são motivados pelas aflições mentais e nelas estão enraizados; as aflições mentais, por sua vez, estão enraizadas na ignorância fundamental, isto é, a crença errônea na autoexistência duradoura das coisas. Além disso, um aspecto da lei da causalidade é que a característica dos efeitos deve corresponder à característica das causas.[19] Em consequência, todas as experiências e eventos causados por um estado indisciplinado da mente – ou seja, como resultado de ações kármicas e aflições mentais – são, em última análise, contaminados. Uma ação, como fazer oferendas ao Buda, pode ser positiva em termos convencionais, mas, até que tenhamos superado a ignorância por meio da realização direta da vacuidade, essa ação ainda estará contaminada e na natureza do sofrimento.

Existe uma estreita relação de inferência entre os dois primeiros axiomas do Budismo – que todos os fenômenos compostos são impermanentes e que todos os fenômenos contaminados são insatisfatórios; podemos inferir o segundo axioma a partir do primeiro. A afirmação no primeiro axioma, de que todos os fenômenos compostos são impermanentes, implica que, uma vez que uma coisa seja produto de outras causas e condições, está sob o controle de outros fatores além de si mesma. No caso dos fenômenos contaminados do segundo axioma, a implicação é que são um produto e estão sob o poder das aflições mentais, que surgem a partir de nossa ignorância fundamental. O primeiro axioma explica a causalidade; o segundo explica o processo causal da existência não iluminada.

Todos os fenômenos são vazios e desprovidos de autoexistência

O terceiro axioma afirma que todos os fenômenos – todas as coisas e eventos – carecem de realidade intrínseca. Essa é a expressão tradicional da asserção budista da vacuidade, que examinamos em detalhe ao longo deste livro e que desempenha papel-chave no entendimento do *Sutra do Coração*.

A Ausência do Eu

Vamos recapitular brevemente nossa discussão anterior: todos os fenômenos, inclusive o eu, carecem de existência intrínseca; contudo, devido à nossa ignorância fundamental, atribuímos a eles existência intrínseca. Essa ignorância fundamental não é, portanto, um estado de mero *desconhecimento*, mas sim um estado ativo de *conhecimento equivocado*. Em nosso estado de conhecimento equivocado, percebemos as coisas, ao contrário de como realmente são. Quanto mais se desnuda a verdade sobre a natureza da realidade, mais frágil torna-se a força da ignorância e, à medida que a natureza da realidade torna-se mais aparente, a certeza de que essa ignorância é errônea fica mais forte.

O nirvana é a verdadeira paz

Uma vez que tenhamos nos certificado da natureza distorcida de nossa perspectiva equivocada dentro da meditação, seu domínio sobre nós começará a diminuir gradativa e naturalmente. À medida que isso acontece, nos tornamos capazes de divisar a possibilidade de obter *total* liberdade de tais crenças errôneas. Essa liberdade – liberação completa da ignorância que se agarra à autoexistência das coisas – é o único estado verdadeiro e duradouro de felicidade e liberdade espiritual, a única paz verdadeira, a única libertação verdadeira.

capítulo 9

Interpretação da Vacuidade

Os dois tipos de ausência do Eu

Antes de voltarmos a examinar o texto do *Sutra do Coração*, vamos repassar a ausência do eu pelo olhar de várias escolas budistas, de modo que possamos adquirir um entendimento mais refinado da vacuidade, conforme apresentada no *Sutra do Coração*. Como expliquei antes, uma crença na "ausência do eu" é fundamental a todas as escolas budistas, mas existe uma variedade de interpretações entre elas a respeito do que essa expressão significa exatamente. Dentro do currículo monástico tibetano, existe todo um gênero de literatura ressaltando em detalhes o entendimento de cada escola sobre essas questões, que são conhecidas como as doutrinas (*druptha* em tibetano) de cada escola específica. Nessa literatura, as várias perspectivas filosóficas são atribuídas às quatro grandes escolas predominantes na Índia antiga, e a apresentação da ausência do eu torna-se progressivamente mais sutil com o surgimento de cada escola. São elas a Escola *Vaibhashika*, a Escola *Sautrantika*, a Escola *Chittamatra* (Mente Apenas), e a Escola *Madhyamaka* (Caminho do Meio).

Os budistas tibetanos em geral concordam com a visão da última escola, a do Caminho do Meio. Vocês podem perguntar por que se deveria gastar tanto tempo pesquisando os pontos de vista das outras escolas. Como isso se relaciona à iniciativa maior da liberação e iluminação? Uma vez que o entendimento correto da vacuidade é crucial para o sucesso na eliminação das aflições mentais, é imprescindível examinar os muitos atalhos onde podemos nos desviar do caminho do entendimento correto. As visões das escolas mais antigas representam vias nas quais os budistas historicamente ficaram aquém da aplicação mais exaustiva dos ensinamentos do Buda sobre a vacuidade. Estudar as doutrinas dessas escolas ajuda a evitar que se fique paralisado no que é apenas um entendimento parcial da verdadeira natureza da vacuidade e nos proporciona maior apreço pela profundidade do ponto de vista mais sutil. Claro que uma visão intelectual correta não é substituta para a realização direta da vacuidade (que é não conceitual), mas não obstante é uma ferramenta vital na tarefa para a abordagem dessa realização.

Os textos sobre as doutrinas fazem diferenciação entre dois tipos de ausência do eu: *ausência do eu da pessoa* e *ausência do eu dos fenômenos*. "Pessoa" aqui refere-se ao nosso forte senso de eu, o "eu" com o qual nos referimos a nós mesmos. "Fenômenos" refere-se aos agregados mentais e físicos da pessoa, mas inclui todos os outros fenômenos. Entre as quatro escolas budistas, as duas mais antigas – a Escola Vaibhashika e a Escola Sautrantika – falam apenas sobre a importância de meditar sobre a ausência do eu da pessoa, e não aceitam qualquer noção de ausência do eu dos fenômenos. Entretanto, as duas escolas mais recentes – a Escola Mente Apenas e a Escola do Caminho do Meio – aceitam as doutrinas da ausência do eu da pessoa e dos fenômenos. Essas escolas argumentaram que uma noção limitada de ausência do eu, referindo-se apenas à pessoa, nos impediria de eliminar o conjunto total de obscurecimentos e aflições, como veremos a seguir. Assim, embora a firme realização da vacuidade unicamente em termos de pessoa seja um tremendo feito, ainda fica aquém da liberação completa do sofrimento.

A INTERPRETAÇÃO DA MENTE APENAS

No geral, temos uma tendência natural para confiar em nossas percepções cotidianas; presumimos que são válidas sem que nem mesmo nos ocorra questioná-las. Acreditamos ingenuamente que o modo como percebemos as coisas é idêntico ao modo como elas são. E assim, porque os eventos e as coisas, inclusive o eu, parecem ter realidade objetiva, concluímos tacitamente, e quase sempre sem qualquer reflexão, que eles de fato possuem uma realidade objetiva. Somente por meio do processo de análise

Interpretação da Vacuidade

cuidadosa podemos ver que não é assim: que nossas percepções não refletem a realidade objetiva de modo acurado.

Conforme já avaliamos, todas as experiências sensoriais do mundo externo surgem por meio da fusão de três fatores: uma faculdade sensorial, um objeto e nossa percepção mental. Essa percepção de um objeto externo dá origem a uma avaliação subjetiva: consideramos o objeto atrativo ou não atrativo. A seguir, projetamos desejabilidade ou indesejabilidade no objeto, sentindo a qualidade como uma realidade objetiva inerente ao objeto. Baseados nessa projeção, podemos desenvolver uma forte reação emocional. Se o objeto é considerado indesejável, sentimos repugnância ou repulsão; se o objeto é visto como desejável, sentimos apego ou desejo. Mas, como já vimos, não há nada de real intrínseco no objeto que o qualifique a ter o rótulo de "atrativo". A qualidade atrativa que percebemos é, em larga escala, puramente subjetiva. É útil examinar nossa experiência no rastro de uma forte resposta emocional, já que esse tipo de experiência coloca nosso senso de eu em foco aguda e imediatamente.

Na visão da Mente Apenas, o que é entendido como real e existindo "lá fora", o objeto, não é nada mais que uma projeção de nossa mente, o sujeito. Assim, sujeito e objeto são percebidos em última análise como não duais. Em termos práticos, essa visão é muito útil: não é difícil perceber quanto o reconhecimento das qualidades que percebemos nos objetos são meros aspectos de nossa própria mente e pode ter um impacto dramático na redução de nosso apego a esses objetos externos.

Embora a Escola Mente Apenas rejeite a realidade de um eu e rejeite a de uma realidade material externa e objetiva, mesmo assim sustenta que essa *experiência* subjetiva – isto é, a mente – possui realidade substancial. Os seguidores da Escola Mente Apenas afirmam que, se a mente não possuísse uma realidade intrínseca e substancial, não haveria sustentáculo para se fazer distinções significativas entre bom e mau, entre o que é prejudicial e o que é benéfico. Eles afirmam que, para um fenômeno existir, precisa possuir uma base objetiva e substancial sobre a qual assente suas várias funções.

Assim, na visão da Mente Apenas, todas as coisas e eventos não são *puramente* constructos mentais. Se assim fosse, o branco se tornaria preto, e o preto se tornaria branco meramente por pensarmos neles dessa forma.

A Essência do Sutra do Coração

Visto que não é assim, essa visão prossegue afirmando que se deve, portanto, aceitar que a experiência interna subjetiva, o mundo da consciência, também possui realidade substancial. Consequentemente, para a Escola Mente Apenas, as explicações da vacuidade encontradas nos Sutras da Perfeição da Sabedoria não podem ser levadas ao pé da letra. Eles argumentam que, se fizermos declarações como "não existe forma, nem sensação, nem discriminações" literalmente, isso constituiria cair-se no extremo equivocado do niilismo, que contradiz a lei de causa e efeito.

O entendimento da Mente Apenas a respeito do ensinamento do Buda sobre a vacuidade nos Sutras da Perfeição da Sabedoria está baseado em primeiro lugar em um conjunto específico de asserções do *Sutra que Desvenda o Pensamento do Buda (Samdhinirmochanasutra)*, no qual uma teoria chamada as "três naturezas" é apresentada com muito detalhe. De acordo com essa asserção, todas as coisas e eventos possuem três naturezas principais. A *natureza dependente*, isto é, a interação de várias causas e condições específicas, é considerada a *base* da existência de um fenômeno. Apoiando-se nessa natureza dependente, projetamos uma realidade independente no fenômeno; essa *natureza imputada* é o que nos parece ser real. Por fim, a *natureza absoluta* de um fenômeno é a negação dessa imputação, isto é, a vacuidade do fenômeno.

Uma vez que se diz que todas as coisas e eventos possuem as três naturezas, a Escola Mente Apenas sustenta que o trecho "desprovido de natureza intrínseca, ou eu" nos sutras da Perfeição da Sabedoria significa coisas diferentes em relação a cada uma dessas naturezas. Eles afirmam que os fenômenos dependentes são desprovidos de natureza intrínseca, no sentido de que carecem de *originação independente* – isto é, não vêm a existir por si mesmos. Os fenômenos imputados são desprovidos de natureza intrínseca no sentido de que carecem de *características intrínsecas* – isto é, as várias características que percebemos em um fenômeno são uma função de nossa mente. Por fim, os fenômenos absolutos são desprovidos de natureza intrínseca pois não permanecem como absolutos – o que quer dizer que nem mesmo a vacuidade possui uma realidade absoluta e objetiva. A Escola Mente Apenas interpreta o significado dos Sutras da Perfeição da Sabedoria no contexto de sua doutrina das três naturezas.

Interpretação da Vacuidade

Em consequência, a Escola Mente Apenas divide as escrituras do Buda entre aquelas que são *definitivas*, que podem ser aceitas literalmente, e aquelas que são *provisórias*, que não podem ser aceitas e exigem interpretação para serem captadas de forma plena. Um ensinamento que resiste ao escrutínio da avaliação crítica, pelo menos do modo como os seguidores da Escola Mente Apenas o conduzem, é tomado como definitivo, ao passo que um ensinamento que contradiz a concepção deles a respeito do propósito último do Buda é considerado como algo que exige interpretação.

Uma importante subdivisão da Escola Mente Apenas é a dos "seguidores da escritura". Ao mesmo tempo em que rejeita a noção de um eu eterno, essa ramificação da Escola Mente Apenas postula algo chamado consciência fundamental (*alaya vijnana*) como sendo a pessoa real ou a base do eu. O proponente original dessa escola sentiu que, se a pessoa ou eu fosse identificada com a consciência mental grosseira, seria difícil postular sua existência em certos momentos; por exemplo, quando desmaia ou dorme profundamente, ou quando um meditante atinge estados que são desprovidos de atividade consciente. A consciência fundamental proporciona à Escola Mente Apenas uma faculdade mais estável para postular a identidade da pessoa. Somado a isso, a consciência fundamental serve de repositório das quatro propensões,[20] e é onde as marcas de todas as nossas ações kármicas são armazenadas. O pensamento deludido "eu sou", que surge com base nessa consciência fundamental, às vezes é separado como a "consciência deludida". Assim, o proponente dessa ramificação da Escola Mente Apenas postula oito classes de consciência – as cinco consciências sensoriais, a consciência mental grosseira, a consciência fundamental e a consciência deludida.

INTERPRETAÇÕES DEFINITIVAS *VERSUS* PROVISÓRIAS

Anteriormente, observamos que uma das principais características dos ensinamentos do Buda é deles terem sido ministrados de acordo com as variadas necessidades e disposições espirituais e mentais dos ouvintes. De modo semelhante, as doutrinas das várias escolas podem ser vistas como preenchendo essas diversas necessidades. Acabamos de verificar

A Essência do Sutra do Coração

como a Escola Mente Apenas distingue os ensinamentos definitivos dos provisórios, e de fato cada escola tem critérios próprios para determinar se um ensinamento do Buda é definitivo ou provisório. Em cada caso, o processo é semelhante: primeiro, usa-se a análise para determinar o propósito último do Buda ao fazer uma declaração específica; segundo, determina-se o fundamento lógico contextual do Buda para fazer uma declaração específica; e terceiro, demonstra-se a inconsistência lógica que surge, se é que surge, quando a declaração específica é tomada literalmente.

A necessidade de tal abordagem é encontrada nos próprios Sutras do Buda. Existe um verso no qual o Buda incita seus seguidores para que aceitem suas palavras como aceitariam de um joalheiro um metal que parecesse ouro: somente depois de ver que o metal não perde o brilho quando queimado, que pode ser cortado com facilidade e que pode ser polido até cintilar é que o metal deve ser aceito como ouro. Assim, o Buda nos dá permissão para examinar criticamente até os seus próprios ensinamentos. O Buda sugere que façamos uma investigação completa sobre a verdade de suas palavras e que as verifiquemos por nós mesmos, e só depois "aceitem-nas, mas não por reverência".[21]

Orientando-se por declarações como essa, as antigas universidades monásticas indianas, como Nalanda, desenvolveram uma tradição na qual os estudantes submetem criticamente o trabalho escolástico dos próprios professores à análise. Essa análise crítica não era vista de forma alguma como contrária à grande admiração e reverência que os alunos tinham por seus professores. O famoso mestre indiano Vasubandhu, por exemplo, tinha um discípulo conhecido como Vimuktisena, que, segundo conta-se, ultrapassou Vasubandhu no entendimento dos Sutras da Perfeição da Sabedoria. Ele questionou a interpretação Mente Apenas de Vasubandhu e, por sua vez, desenvolveu seu próprio entendimento dos sutras de acordo com a Escola do Caminho do Meio.

Um exemplo disso na tradição do Budismo Tibetano é Alak Damchoe Tsang, um dos discípulos do grande mestre Nyingma do século XIX, Ju Mipham. Embora Alak Damchoe Tsang tivesse enorme admiração e reverência por seu professor, questionou alguns pontos das obras escritas de Mipham. Conta-se que, certa vez, um estudante de Alak Damchoe Tsang perguntou se era adequado fazer questionamentos críticos às obras

Interpretação da Vacuidade

do próprio professor. A resposta imediata de Alak Damchoe Tsang foi: "Se um grande professor diz coisas que não estão corretas, deve-se repreender até o próprio lama!"

Existe um ditado tibetano: "Mantenha a reverência e admiração pela pessoa, mas submeta a obra escrita à análise crítica cabal". Isso demonstra uma atitude saudável e ilustra a tradição budista conhecida como a abordagem das *quatro confianças*:

> Não confie meramente na pessoa, mas nas palavras.
> Não confie apenas nas palavras, mas em seu significado.
> Não confie apenas no significado provisório, mas no significado definitivo.
> Não confie apenas no entendimento intelectual, mas na experiência direta.

A INTERPRETAÇÃO DO CAMINHO DO MEIO

Em contraste com a Escola Mente Apenas, a Escola do Caminho do Meio lê os sutras da Perfeição da Sabedoria como definitivos, aceitando como literal a declaração de que "todas as coisas e eventos são desprovidos de qualquer existência intrínseca". A visão do Caminho do Meio não faz discriminação entre o status existencial do sujeito e do objeto – entre a mente e o mundo. Os *Cem Mil Versos sobre a Perfeição da Sabedoria* apresentam essa visão de forma explícita com a declaração que, em nível absoluto, *todos* os fenômenos não existem. Assim, para a Escola do Caminho do Meio, os sutras da Perfeição da Sabedoria permanecem literais, e a vacuidade de todos os fenômenos torna-se definitiva.

Essa distinção entre as doutrinas da Escola da Mente Apenas e da Escola do Caminho do Meio pode não parecer significante de imediato, mas, ao examinarmos atentamente, podemos avaliar seu significado. A Escola Mente Apenas reconhece a vacuidade dos fenômenos no mundo externo, e devido a isso seus seguidores podem ser capazes de transpassar o apego e a aversão aos fenômenos externos mediante o reconhecimento da vacuidade desses fenômenos. Mas isso não basta. A menos que seja capaz de reconhecer igualmente a vacuidade do mundo *interno*, a pessoa poderá ficar apegada a experiências como tranquilidade ou bem-aventurança, e avessa a experiências como tristeza ou medo. Entender a vacuidade de todos os

A Essência do Sutra do Coração

fenômenos – não discriminar entre interno e externo, mente e mundo – é o refinamento da Escola do Caminho do Meio. Entender isso inteiramente e por nós mesmos permite que nos libertemos por completo do cativeiro das aflições em todas as circunstâncias.

Alguns proponentes do Caminho do Meio, seguidores de uma escola conhecida como Yogachara-Madhyamaka, mantêm a distinção da Mente Apenas entre os mundos interno e externo, mas aplicam os ensinamentos da vacuidade igualmente a ambos. No geral, entretanto, as escolas do Caminho do Meio ensinam que, quando se chega à natureza última da realidade, simplesmente não é útil discriminar entre os mundos interno e externo.

Além disso, os Madhyamikas argumentam que uma das premissas da Mente Apenas para a rejeição da realidade do mundo externo é a crença de que tal realidade pressupõe a existência de átomos ou partículas indivisíveis. Tais partículas, se existissem, seriam a matéria constitutiva última e agiriam como a base para a existência do mundo objetivo. Visto que para a Mente Apenas a noção de um átomo indivisível e absoluto é indefensável, seus seguidores argumentam que se deve rejeitar a realidade objetiva do mundo material.

Os Madhyamikas respondem a essa questão destacando que se pode usar o mesmo argumento para negar a realidade substancial do mundo interno, pois, para aceitar a realidade substancial da consciência ou mente, deve-se pressupor a existência de momentos indivisíveis de cognição, que são também constituintes absolutos da realidade. Eles dizem que isso é insustentável, pois pode-se conceber a consciência apenas com base em um fluxo de cognição contínuo e originado de modo dependente, não como momentos distintos de consciência. Assim, mesmo o mundo interno da consciência e cognição é desprovido de realidade substancial. Pela aplicação desse raciocínio de modo indiscriminado tanto ao mundo exterior da matéria quanto ao mundo interno da consciência, os adeptos do Caminho do Meio argumentam que se pode solapar as bases do apego aos mundos externo e interno.

Interpretação da Vacuidade

AS DUAS ESCOLAS DO CAMINHO DO MEIO

O grande mestre indiano Nagarjuna foi o fundador da Escola do Caminho do Meio, e seu texto mais famoso é *Fundamentos do Caminho do Meio*. Entre as muitas leituras do texto de Nagarjuna por mestres indianos posteriores, as de Buddhapalita, Bhavaviveka e Chandrakirti foram particularmente influentes. Em seu comentário, Bhavaviveka criticou alguns aspectos da leitura anterior de Buddhapalita. Em defesa de Buddhapalita, Chandrakirti escreveu um comentário que influenciou muitos estudiosos sobre os *Fundamentos do Caminho do Meio* chamado *Palavras Claras (Prasannapada)*.

Uma das principais diferenças entre as interpretações de Buddhapalita e Bhavaviveka tem a ver com a noção de "objetos que aparecem de maneira comum", ou seja, se é possível que, quando empenhados em uma exposição sobre o modo de ser último das coisas, dois grupos opostos tenham uma percepção compartilhada de um objeto que é igualmente válida segundo as perspectivas de ambos os grupos. Bhavaviveka assegura que isso é possível. Ao sustentar que uma realidade objetiva em alguma medida é independente daquele que a percebe, Bhavaviveka admite que um grau de existência intrínseca pode ser atribuído às coisas e aos eventos. Por exemplo, Bhavaviveka parece manter que, embora a pessoa ou eu seja um constructo mental dependente dos agregados, se alguém procurar a verdadeira referência da palavra "pessoa" será capaz de encontrar algo substancialmente real. Bhavaviveka destaca a consciência mental como sendo a verdadeira pessoa, que pode ser encontrada em última análise. Chandrakirti refuta essa ideia.

Com base nessas diferenças, surgiram as duas principais vertentes da filosofia do Caminho do Meio. As divergências entre esses grupos estão refletidas no método usado por seus seguidores para estabelecer a vacuidade. A exemplo do que Nagarjuna faz nos *Fundamentos do Caminho do Meio*, Buddhapalita usa sobretudo uma forma de argumentação conhecida como consequencialista (*prasanga* em sânscrito). Essa argumentação *reductio ad absurdum* avança demonstrando em primeiro lugar as inconsistências internas na visão de um oponente. Em contraste, Bhavaviveka e seus seguidores raciocinam a partir da base dos silogismos estabelecidos.

A Essência do Sutra do Coração

Devido à diferença na metodologia, as duas escolas ficaram conhecidas com *Svatantrika*, ou escola "autônoma", aquela que aceita silogismos autônomos, e escola *Prasangika*, aquela que prefere o estilo de prova consequencialista. A escola Svatantrika, de Bhavaviveka, mais tarde foi defendida por mestres como Jnanagarbha, enquanto a escola Prasangika, de Buddhapalita, foi defendida por Chandrakirti e Shantideva.

É plenamente evidente, a partir da leitura de seu comentário sobre os *Fundamentos do Caminho do Meio*, que Buddhapalita não aceitou a noção da existência intrínseca nem mesmo em termos convencionais. Ao comentar o verso de abertura de Nagarjuna, que nega os quatro tipos possíveis de originação – por si mesmo, por outro; por si mesmo e por outro; nem por si mesmo nem por outro –, Buddhapalita observa que, se submetermos o processo de originação à análise crítica, a originação em si não pode ser verificada como existente. Entretanto, considerando que as coisas surgem como resultado de causas e condições, ele afirma explicitamente que podemos entender a noção de originação em um nível convencional. Além disso, declara que, se os fenômenos possuíssem uma natureza intrínseca e objetiva, não seria necessário postular sua identidade e existência em relação a outros fatores. Esse simples fato, de que as coisas e os eventos só podem ser entendidos em relação a outros fatores ou na dependência deles, sugere que não existem por meio de uma natureza intrínseca.

Bhavaviveka concordou com Buddhapalita de que todos os modos de originação não têm existência intrínseca *absoluta*, mas argumentou que os processos de originação das coisas a partir de fatores que não elas mesmas têm uma existência *convencional* intrínseca. Chandrakirti, defendendo a posição de Buddhapalita, rejeita isso explicitamente. Em seu *Complemento para o Caminho do Meio*, Chandrakirti afirma que tanto o sujeito – a pessoa que experiencia dor e prazer – quanto os objetos da pessoa revelam-se não encontráveis, não possuindo realidade objetiva e independente, nem mesmo em nível convencional. Chadrakirti diz que podemos entender seu status existencial por meio do entendimento de sua realidade convencional, mas mesmo ela é vazia. Segundo Chandrakirti, a existência intrínseca é simplesmente falsa, e sua negação constitui o entendimento final da vacuidade.

Interpretação da Vacuidade

VACUIDADE E ORIGINAÇÃO DEPENDENTE

Assim, para os Prasangikas, "vacuidade" significa "vacuidade de existência intrínseca". Isso não quer dizer que nada existe, mas sim que as coisas não possuem a realidade intrínseca que ingenuamente pensamos que possuem. Então, devemos perguntar: de que maneira os fenômenos *existem*? No capítulo 24 dos *Fundamentos do Caminho do Meio*, Nagarjuna argumenta que o status existencial dos fenômenos só pode ser entendido em termos de originação dependente. Para algumas das escolas inferiores, "dependência" significa dependência de causas e condições, mas, para os Prasangikas, significa dependência da designação conceitual de um objeto.

Encontramos apoio para essa visão nos sutras. Em *Questões de Anavatapta* lê-se uma passagem declarando que o que quer que venha a existir, na dependência de outras condições, deve ser desprovido de originação intrínseca. O sutra afirma:

> O que nasce de condições é não existente,
> pois é desprovido de originação intrínseca.
> O que depende de condições é declarado vazio.
> Aquele que conhece essa vacuidade permanece tranquilo.[22]

Encontramos passagens similares no *Compêndio dos Sutras (Sutrasamuccaya)* de Nagarjuna e no *Compêndio dos Feitos (Shiksasamuccaya)* de Shantideva, em que, no capítulo sobre a sabedoria, Shantideva cita vários sutras que negam a noção de existência intrínseca em relação a extensivas taxonomias dos fenômenos, como as que se veem no *Sutra do Coração*. Shantideva conclui, destacando que todos os fenômenos descritos nas taxonomias são meros nome e designação.

O ponto aqui é que, se as coisas e eventos não existissem de modo algum, seria impossível um sentido coerente das enumerações no *Sutra do Coração* de coisas como os cinco agregados e os 37 aspectos do caminho para a iluminação. Se a doutrina da vacuidade negasse a realidade desses fenômenos, seria um despropósito enumerá-las. Isso sugere que as coisas existem, mas não de forma intrínseca; a existência só pode ser entendida em termos de originação dependente.

A Essência do Sutra do Coração

Se alguém entende a vacuidade conforme descrita pela Escola Madhyamaka Prasangika – que todo fenômeno carece de qualquer vestígio de existência intrínseca –, simplesmente não encontra sustentação para se agarrar a um senso de eu que surja. Dessa perspectiva prática, o entendimento da Madhyamaka Prasangika sobre a vacuidade constitui o mais elevado e sutil entendimento do ensinamento do Buda sobre o não eu.

capítulo 10

Desenvolver uma Visão Inequívoca da Realidade

Refutar a existência intrínseca de forma correta

Toda a discussão filosófica anterior sugere o seguinte ponto básico: o modo como tendemos a perceber as coisas não está de acordo com o que elas são. Porém, isso não nega de forma niilista o fato de nossa experiência. A *existência* das coisas e dos eventos não é questionada; é de que *maneira* elas existem que deve ser esclarecida. Esse é o objetivo de se passar por essa análise complexa.

É essencial para qualquer aspirante espiritual cultivar uma perspectiva que se oponha de forma direta à crença errônea que se agarra à existência concreta das coisas e eventos. Somente pelo cultivo de uma visão assim podemos começar a diminuir o poder das aflições que nos dominam. Quaisquer práticas diárias em que nos empenhemos – recitação de mantra, visualizações e outras – por si só serão incapazes de se opor à ignorância fundamental. Simplesmente idealizar a aspiração "Possa esse apego enganoso à existência intrínseca desaparecer", não é suficiente; devemos esclarecer inteiramente nosso entendimento da natureza da vacuidade. Esse é o único jeito de se ficar completamente livre do sofrimento. Além disso, sem esse entendimento claro, é de se imaginar que, em vez de nos ajudar *contra* nosso apego à realidade concreta, a visualização de deidades e a recitação de mantras possa até *reforçar* nosso apego enganoso à realidade objetiva do mundo e do eu.

Muitas práticas budistas funcionam como a aplicação de um antídoto. Por exemplo, cultivamos a aspiração de beneficiar os outros como um antídoto para o interesse pessoal, e cultivamos nosso entendimento da natureza impermanente da realidade como antídoto para ver as coisas e eventos como fixos. Da mesma maneira, cultivando o insight correto sobre a natureza da realidade – a vacuidade das coisas e eventos –, somos capazes de nos libertar gradativamente do apego à existência intrínseca e por fim eliminá-lo.

Entender as duas verdades

No *Sutra do Coração*, lê-se:

> Deve perceber perfeitamente que até os cinco agregados são vazios de existência intrínseca. Forma é vacuidade, vacuidade é forma; vacuidade não é outra coisa senão forma; forma também não é outra coisa senão vacuidade.

Essa passagem apresenta o resumo da resposta de Avalokiteshvara para a pergunta de Shariputra sobre como praticar a perfeição da sabedoria. A expressão "vazios de existência intrínseca" é a referência de Avalokiteshvara ao entendimento mais sutil e elevado da vacuidade, da ausência de existência intrínseca. Avalokiteshvara detalha sua resposta, que começa com as seguintes frases: "Forma é vacuidade, vacuidade é forma; vacuidade não é outra coisa senão forma; forma também não é outra coisa senão vacuidade".

Para nós é importante evitar a apreensão errônea de que a vacuidade é uma realidade absoluta ou uma verdade independente. A vacuidade deve ser entendida como a verdadeira natureza das coisas e eventos. Por isso lê-se: "Forma é vacuidade, vacuidade é forma; vacuidade não é outra coisa senão forma; forma também não é outra coisa senão vacuidade". Não se refere a alguma espécie de Grande Vacuidade em algum lugar lá fora, mas sim à vacuidade de um fenômeno específico, no caso, da forma ou matéria.

A afirmação de que, "à parte da forma não existe vacuidade" sugere que a vacuidade da forma não é outra coisa senão a natureza última da forma. A forma carece de existência intrínseca ou independente; por isso sua

Desenvolver uma Visão Inequívoca da Realidade

natureza é a vacuidade. Essa natureza – a vacuidade – não é independente da forma, mas sim uma *característica* da forma; a vacuidade é o modo de ser da forma. Deve-se entender a forma e sua vacuidade em unidade; não são duas realidades independentes.

Vamos olhar as duas declarações de Avalokiteshvara mais detidamente: que forma é vacuidade e vacuidade é forma. A primeira afirmação, "vacuidade é forma", indica que o que reconhecemos como forma vem a existir como resultado da agregação de muitas causas e condições, e não por meios próprios independentes. Forma é um fenômeno composto, constituído por muitas partes. Porque vem a existir, e continua a existir baseado em outras causas e condições, é um fenômeno dependente. Essa dependência significa que a forma é consequentemente vazia de qualquer realidade intrínseca e autoexistente e, portanto, diz-se que forma é vacuidade.

Vamos nos deter agora na declaração seguinte, de que vacuidade é forma. Entendido que a forma carece de existência independente, jamais pode ser isolada de outros fenômenos. Consequentemente, a dependência sugere um tipo de abertura e maleabilidade em relação a outras coisas. Devido a essa abertura fundamental, a forma não é fixa, mas sim sujeita à mudança e causalidade. Em outras palavras, uma vez que as formas surgem a partir da interação de causas e condições e não possuem realidade independente e fixa, prestam-se à possibilidade de interação com outras formas e, portanto, com outras causas e condições. Tudo isso faz parte de uma realidade complexa e interconectada. Como as formas não possuem identidade fixa e isolada, podemos dizer que a vacuidade é a base para a existência da forma. De fato, em certo sentido, é possível dizer até que a vacuidade *cria* a forma. Pode-se entender a afirmação de que "vacuidade é forma" no sentido de a forma ser uma manifestação ou expressão da vacuidade, algo que advém da vacuidade.

Esse relacionamento aparentemente abstrato de forma e vacuidade é de algum modo análogo ao relacionamento de objetos materiais e espaço. Sem espaço vazio, os objetos materiais não podem existir; o espaço é o meio para o mundo físico. Contudo, essa analogia sucumbe na medida em que se pode dizer que objetos materiais, em certo sentido, são separados do espaço que ocupam, ao passo que não é possível dizer isso da forma e da vacuidade.

A Essência do Sutra do Coração

No *Lankavatara Sutra*, encontramos descrições de sete diferentes maneiras em que uma coisa pode ser considerada vazia. Aqui, seguindo nossos propósitos, vamos examinar duas maneiras de ser vazio. A primeira é conhecida como "vacuidade do outro" – no sentido de que um templo pode estar vazio de monges. Nesse exemplo, a vacuidade (do templo) é separada do que está sendo negado (a presença de monges).

Em contraste, quando dizemos que "forma é vacuidade", estamos negando uma essência intrínseca da forma. Essa maneira de ser é chamada *vacuidade da existência intrínseca* (em tibetano, significa literalmente "vacuidade do eu"). Contudo, não devemos entender a vacuidade do eu ou vacuidade da natureza do eu como significando que a forma é vazia *de si mesma*; isso seria equivalente a negar a realidade da forma, o que, conforme tenho repetido enfaticamente, esses ensinamentos não fazem. Forma *é* forma; a realidade da forma sendo forma não é rejeitada, apenas a realidade *independente e, portanto, a existência intrínseca* dessa realidade. Portanto, o fato de forma ser forma não contradiz de modo algum o fato de forma ser vacuidade.

Esse é um ponto crucial, e vale a pena reiterá-lo. Vacuidade não implica não existência; vacuidade implica vacuidade de existência *intrínseca*, o que implica necessariamente originação dependente. Dependência e interdependência estão na natureza de todas as coisas; coisas e eventos vêm a existir apenas como resultado de causas e condições. A vacuidade possibilita a lei de causa e efeito.

Podemos expressar o que foi dito ainda de outra maneira, conforme o seguinte raciocínio. Todas as coisas se originam de modo dependente, dessa maneira pode-se observar a causa e o efeito. Causa e efeito só são possíveis em um mundo desprovido de existência intrínseca, ou seja, em um mundo que é vazio. Assim, podemos dizer que vacuidade é forma, outra maneira de se dizer que a forma surge a partir da vacuidade, e que a vacuidade é a base que permite a originação dependente da forma. Portanto, o mundo da forma é uma *manifestação* da vacuidade.

É importante esclarecer que não estamos falando de vacuidade como sendo algum tipo de estrato absoluto da realidade, aparentado, por assim dizer, com o antigo conceito indiano de *Brahman*, concebido como uma realidade absoluta subjacente, a partir da qual emerge o mundo ilusório

Desenvolver uma Visão Inequívoca da Realidade

da multiplicidade. A vacuidade não é uma realidade essencial, que reside de algum modo no coração do universo, da qual surge a diversidade de fenômenos. A vacuidade só pode ser concebida em relação a coisas e eventos individuais. Por exemplo, quando falamos da vacuidade de uma forma, estamos falando sobre a realidade absoluta *daquela forma*, o fato de ela ser desprovida de existência intrínseca. *Aquela vacuidade* é a natureza absoluta *daquela forma*. A vacuidade existe como uma qualidade de um fenômeno específico; e não separada e independentemente de um fenômeno específico.

Além disso, uma vez que a vacuidade só pode ser entendida como realidade absoluta em relação a um fenômeno individual, coisas e eventos individuais, quando um fenômeno individual termina, a vacuidade daquele fenômeno também cessa. Assim, embora a vacuidade não seja ela própria o produto de causas e condições, quando uma base para a identificação da vacuidade não mais existe, a vacuidade daquela coisa também cessa.[23]

A linha "Vacuidade não é outra coisa senão forma; forma também não é outra coisa senão vacuidade" indica a necessidade de se entender o ensinamento do Buda sobre as duas verdades. A primeira é a verdade da convenção diária, ao passo que a segunda, a verdade absoluta, é a verdade a que se chega por meio da análise sobre o modo de ser absoluto das coisas. Nagarjuna faz referência a isso nos *Fundamentos do Caminho do Meio*:

Os ensinamentos revelados pelos budas
assim o são em termos das duas verdades –
a verdade convencional do mundo
e a verdade última.[24]

Percebemos a verdade convencional, ou seja, o mundo relativo em toda a sua diversidade, por meio do uso cotidiano da mente e de nossas faculdades sensoriais. Contudo, somente por meio da análise penetrante somos capazes de perceber a verdade absoluta, a verdadeira natureza das coisas e eventos. Perceber isso é perceber a talidade dos fenômenos, seu modo absoluto de ser, que é a verdade absoluta sobre a natureza da realidade. Embora muitas escolas indianas de pensamento – tanto budistas quanto não budistas – entendam a natureza da realidade em termos de duas verdades, o entendimento mais sutil acarreta a realização das duas verdades não como duas realidades separadas e independentes, mas sim como dois aspectos de uma única realidade. É essencial que captemos essa distinção com clareza.

Tradições de interpretação

Uma tradição de comentários – talvez derivada de Ju Mipham, mestre Nyingma – tem uma maneira habitual de ler essa passagem do *Sutra do Coração* que apresenta as *quatro abordagens para se entender a vacuidade*. De acordo com essa leitura, a primeira declaração, "forma é vacuidade", apresenta a vacuidade do mundo fenomenal, opondo-se ao extremo do absolutismo existencial, a crença equivocada de que todos os fenômenos possuem realidade absoluta. A segunda declaração, "vacuidade é forma", apresenta a vacuidade como surgindo da originação dependente, opondo-se ao extremo do niilismo, a crença equivocada de que nada existe. A terceira declaração, "vacuidade não é outra coisa senão forma", apresenta a união de aparência e vacuidade, ou a união da vacuidade e da originação dependente, opondo-se a ambos os extremos, niilismo e absolutismo existencial, ao mesmo tempo. A quarta declaração, "forma não é outra coisa senão vacuidade", indica que aparência e vacuidade não são incompatíveis, mantendo-se em vez disso em um estado de unanimidade total. Assim, os quatro aspectos são entendidos como apresentando transcendência de todas as elaborações conceituais.

A tradição do Caminho e Fruição (*Lamdre*) da escola Sakya do Budismo Tibetano apresenta uma abordagem quádrupla semelhante para o entendimento da vacuidade: (1) a aparência é estabelecida como vazia; (2) a vacuidade é afirmada como originação dependente; (3) vacuidade e aparência são estabelecidas como uma unidade; (4) essa unidade é afirmada como transcendendo toda a expressão linguística e pensamento conceitual.

Normalmente, a vacuidade é considerada um antídoto para a aparência da existência intrínseca, mas essa abordagem quádrupla indica que, se o entendimento for suficientemente profundo, a pessoa será capaz de usar

Desenvolver uma Visão Inequívoca da Realidade

a verdade da vacuidade para se opor a visões niilistas, e de usar a afirmação do mundo de aparência como um meio de superar o absolutismo. Esse modo reverso de transcender os dois extremos é uma característica única da Escola Madhyamaka Prasangika.

Depois de estabelecer essa abordagem quádrupla para o entendimento da vacuidade, o *Sutra do Coração* sugere que, ao se aplicar tal abordagem para o entendimento da vacuidade da forma, deve-se estendê-la para os agregados restantes – sensações, percepções, formações mentais e consciência. Na categoria dos cinco agregados estão incluídos todos os fenômenos compostos.

> Da mesma maneira, sensações, percepções, formações mentais e consciência são todas vazias.

Um jeito de se entender essa passagem é a partir da perspectiva de um meditante que realiza a vacuidade diretamente. Essa pessoa percebe de maneira direta a total ausência de realidade independentemente de todas as coisas e eventos, percebendo tão somente a vacuidade de modo direto. Nesse estado, não é experienciada nenhuma multiplicidade: não há forma, sentimentos, sensação, percepção, formações mentais – nem coisa nenhuma de jeito nenhum.

Não há nada além da vacuidade, pois chega-se a esse insight apenas através do processo de negação da realidade intrínseca de alguma coisa – como a forma, por exemplo. Forma é uma realidade convencional, um fenômeno relativo, e fenômenos relativos somente são conhecidos por meio da percepção convencional. Contudo, a vacuidade da forma é a verdade absoluta ou realidade absoluta daquela forma. E essa realidade apenas é atingida por meio de uma análise absoluta, da mente que realiza a natureza absoluta da realidade. Enquanto a mente percebe a vacuidade diretamente, não percebe nenhuma outra coisa, e por isso, dessa perspectiva, não mais existe sujeito e objeto.

Se a forma fosse verificada como existente no fim da análise absoluta, no fim do processo de negação, então a forma seria considerada a natureza absoluta de si mesma. Entretanto, não é assim. A natureza absoluta da forma é a vacuidade, e a forma é a realidade convencional sobre a qual a vacuidade é estabelecida. Por conseguinte, um jeito de ler essa declaração – de que não existe forma, sentimentos, sensação, percepção, formações mentais na vacuidade – é com base na perspectiva de um meditante imerso na realização direta da vacuidade.

Os oito aspectos da vacuidade

O texto do *Sutra do Coração* apresenta a seguir o que são chamados de os *oito aspectos do profundo*:

> Portanto, Shariputra, todos os fenômenos são vacuidade; não têm características definidas; não nascem, não cessam; não são puros, não são impuros; não são incompletos, e não são completos.

"Características definidas" nessa passagem refere-se tanto às qualidades universais dos fenômenos, como impermanência e vacuidade, quanto aos aspectos específicos de qualquer fenômeno determinado, tais como as características de, digamos, uma determinada maçã. Ambos os tipos existem no nível relativo – e de fato definimos todas as coisas e eventos por meio dessas características –, mas elas não existem em um sentido absoluto como as naturezas absolutas das coisas e eventos.

O texto prossegue discorrendo que todas as coisas "não nascem, não morrem". É importante entender que as coisas e eventos *vêm* a existir e têm originação; surgir e cessar são características de todos os fenômenos – mas essas não existem como as naturezas absolutas dessas coisas. Assim, da perspectiva de uma pessoa imersa na realização direta da vacuidade, não se encontram características como originação e cessação, que não são inerentes às coisas em um sentido absoluto.

Esse insight é reiterado no verso de saudação de Nagarjuna no começo dos *Fundamentos do Caminho do Meio*, onde se lê:

> Ele que ensinou a originação dependente –
> sem cessação e sem originação,
> sem aniquilação e sem permanência,

Desenvolver uma Visão Inequívoca da Realidade

sem ir e sem vir,
nem diferente, nem igual –
esse acalmar completo das elaborações conceituais:
A você, que é o supremo orador
entre todos os budas plenamente iluminados, presto homenagem.[25]

Aqui, Nagarjuna presta homenagem ao Buda por ensinar que uma coisa originada de modo dependente carece das oito características, e é por isso isenta de existência intrínseca. As oito características *existem* como qualidades das coisas e eventos no nível convencional; isto é, os fenômenos cessam em termos convencionais e nascem em termos convencionais, e assim por diante, mas essas características *não são* inerentes a eles no nível absoluto. No nível absoluto, existe apenas a *ausência* dessas características – isto é, a ausência de natureza intrínseca, ausência de características definidas, ausência de originação, ausência de cessação, ausência de impureza, ausência de pureza, ausência de redução e ausência de aumento.

Essas oito características podem ser agrupadas em três categorias, cada uma examinando a vacuidade de uma perspectiva diferente. Essas três perspectivas são chamadas as *três portas da liberação*. Se entendermos a vacuidade do ponto de vista da coisa em si, veremos que todos os fenômenos são vazios de natureza intrínseca e vazios de características específicas. Entender esse ensinamento é a primeira porta da liberação, a *porta da vacuidade*. Se percebemos a vacuidade do ponto de vista de sua causa, vemos que ela não nasce, não cessa, não é pura e não é impura. Essa é a segunda porta da liberação, a *porta da ausência de sinais*. Se olhamos a vacuidade do ponto de vista de seus efeitos, vemos que não há deficiência, nem completude. Essa é a terceira porta da liberação, a *porta da ausência de desejos*.

Essas três portas são na verdade três maneiras de se entender a mesma coisa: a vacuidade. As escrituras declaram que a sabedoria que realiza a vacuidade é a única porta verdadeira, o único caminho pelo qual podemos nos tornar completamente livres do domínio da ignorância e do sofrimento que ela causa.

capítulo 11

Atingindo o Resultado

A VACUIDADE DE TODOS OS FENÔMENOS

Vamos voltar ao texto do *Sutra do Coração*:

> Portanto, Shariputra, na vacuidade não existe forma, sensações, percepções, formações mentais e consciência. Não existe olho, ouvido, nariz, língua, corpo e mente. Não existe forma, som, odor, sabor, textura e objetos mentais. Não existe elemento da visão, e assim por diante até o elemento da mente, inclusive o elemento da consciência mental.

A sentença inicial reafirma a vacuidade dos cinco agregados, enquanto a seguinte estende a vacuidade para as seis faculdades – as cinco faculdades sensoriais e a faculdade mental. A sentença subsequente estende a vacuidade mais além, para os objetos externos – as bases sensoriais da forma, som, odor, sabor, textura e objetos mentais. A sentença final vai ainda mais longe – até a vacuidade dos dezoito elementos, culminando com não haver "elemento da consciência mental".[26] Todas as coisas e eventos, inclusive fenômenos não compostos como o espaço, são incluídos nessas categorias; portanto, todos os fenômenos são desprovidos de existência intrínseca. O texto diz a seguir:

> Não existe ignorância, não existe extinção da ignorância, e assim por diante até o envelhecimento e a morte e a extinção do nascimento e da morte.

A Essência do Sutra do Coração

Essa é uma negação resumida dos doze elos da originação dependente conforme a sequência de sua evolução dentro da cadeia de uma existência não iluminada. Embora apenas dois sejam mencionados de forma específica, o termo "e assim por diante" deve ser lido como a negação de todos os doze elos – ignorância, ação volitiva, consciência, nome e forma, sensos dos sentidos, contato, sensações, desejo, apego, vir a ser, nascimento, e envelhecimento e morte. A negação dos doze elos descreve o processo de se atingir o nirvana. Embora tanto o processo de nascer no ciclo da existência quanto o de se libertar dele existam no nível convencional, não existem no nível absoluto; por isso são negados aqui. O texto prossegue assim:

> Do mesmo modo, não existe sofrimento, origem, cessação ou caminho; não existe sabedoria, obtenção, nem mesmo não obtenção.

O trecho começa com uma negação – mais uma vez da perspectiva da vacuidade plenamente realizada –, do primeiro giro da roda do Dharma, ou seja, das quatro nobres verdades: a verdade do sofrimento, sua origem, sua cessação e o caminho para a cessação. Por conseguinte, a prática meditativa é negada. A seguir, a fruição dessa prática é negada – "não existe sabedoria, obtenção" – pela afirmação da vacuidade da experiência subjetiva. Finalmente, até mesmo essa negação é negada – "não obtenção". Inclusive o estado resultante de clareza que surge a partir da clara penetração na perfeição da sabedoria é vazio de existência intrínseca. Todas as qualidades da mente daquele que atingiu o nirvana ou obteve os poderes sobrenaturais de um buda são vazias e são negadas.

Nirvana

O texto menciona:

> Dessa maneira, Shariputra, uma vez que os bodhisattvas não têm nada a obter, eles confiam nessa perfeição da sabedoria, e nela permanecem. Não tendo obscurecimento em suas mentes, eles não têm medo e, por irem completamente além do erro, alcançarão o nirvana final.

Atingindo o Resultado

No contexto do *Sutra do Coração*, entendemos o nirvana como a natureza absoluta da mente no estágio em que ela se tornou totalmente limpa de todas as aflições mentais. Como já foi visto, é pelo fato de a mente ser inatamente pura que se diz que tem a natureza de buda, e que basta remover os obscurecimentos para a claridade revelar a iluminação; por conseguinte, a vacuidade da mente é entendida como a base do nirvana, seu *nirvana natural*. Quando um indivíduo passa por um processo de purificação da mente mediante a aplicação dos antídotos para as aflições mentais, com o tempo a mente fica livre por completo de todos os obscurecimentos. A vacuidade dessa mente pura é o *verdadeiro nirvana* ou liberação. Assim, pode-se atingir a libertação – o verdadeiro nirvana – somente efetivando a natureza absoluta da mente em seu estado perfeito e não aflito.

Segundo Nagarjuna explica nos *Fundamentos do Caminho do Meio*, a vacuidade é, portanto, o meio de eliminar as aflições mentais e o estado resultante a que se chega depois de tê-lo feito. Nagarjuna escreveu:

> Por meio da cessação do karma e das aflições se é libertado.
> Karma, aflições e conceitualização
> surgem todos da elaboração; e é por meio da vacuidade
> que a elaboração chega ao fim.[27]

Entendido que todos os aspectos do caminho de uma pessoa rumo à iluminação – sua capacidade inata de atingir a iluminação através do caminho, o caminho em si, e os resultados do caminho para a iluminação – são desprovidos de existência intrínseca, todos possuem o nirvana natural. Por meio do cultivo do insight a respeito do nirvana natural, a pessoa será capaz de dissipar e superar os sofrimentos resultantes do entendimento errôneo das coisas e dos eventos, ou seja, resultantes da ignorância fundamental. Não só os sofrimentos podem ser eliminados, mas até a propensão da ignorância em agarrar-se a si mesma e as marcas deixadas por ações ignorantes do passado podem ser removidas. Assim, pode-se exterminar por completo a ignorância no presente, as marcas do passado e a propensão para a ignorância no futuro. Transcendendo toda a ignorância, prossegue o sutra, fica-se naturalmente livre do medo, e se permanece no nirvana final e não temporal de um buda.

A Essência do Sutra do Coração

> Todos os budas dos três tempos também obtiveram o pleno despertar da iluminação insuperável e perfeita ao confiar nessa profunda perfeição da sabedoria.

Aqui, na frase "todos os budas dos três tempos", o termo *buda* na verdade refere-se aos bodhisattvas do mais elevado nível de realização espiritual imediatamente anterior à obtenção do estado de buda; esse nível é chamado *nível de buda*. Por meio da permanência na absorção meditativa unidirecional chamada *absorção meditativa adamantina*, um bodhisattva desse nível manifestará semelhança em relação a todos os atributos iluminados de um buda. Ao permanecer nessa absorção, tal bodhisattva irá, na dependência da perfeição da sabedoria, atingir o despertar final do Buda.

O MANTRA DA PERFEIÇÃO DA SABEDORIA

Até aqui, o *Sutra do Coração* é considerado uma explicação da vacuidade para praticantes de aptidão comum. A seguir, o texto faz uma apresentação concisa da vacuidade, na forma de um mantra, destinada às pessoas da mais elevada aptidão. O texto diz:

> Assim, deve-se saber que o mantra da perfeição da sabedoria – o mantra do grande conhecimento, o mantra insuperável, o mantra igual ao inigualável, o mantra que subjuga todo o sofrimento – é verdadeiro porque não é enganoso.

A perfeição da sabedoria, *prajnaparamita*, é referida neste trecho como um "mantra". O significado etimológico de *mantra* é "proteger a mente". Assim, atingindo-se a perfeição da sabedoria, a mente ficará completamente protegida contra as crenças errôneas, contra as aflições mentais que surgem dessas crenças, e contra o sofrimento produzido pelas aflições mentais.

A perfeição da sabedoria é chamada o "mantra do grande conhecimento" porque entender integralmente o seu significado elimina os três venenos do apego, ódio e delusão. É chamada "mantra insuperável" porque não existe método mais magnífico que a perfeição da sabedoria para salvar a pessoa dos extremos da existência cíclica e da paz isolada do nirvana individual. É chamada mantra "igual ao inigualável" porque o estado iluminado do Buda é inigualável e, por meio da mais profunda realização desse mantra, atinge-se um estado igual àquele. Finalmente, a perfeição da sabedoria é conhecida como o "mantra que subjuga todo o sofrimento" porque subjuga os sofrimentos manifestos e elimina também todas as propensões para sofrimento futuro.

A perfeição da sabedoria é a verdade absoluta, por isso a declaração de que "é verdadeira". No reino da verdade absoluta, não há disparidade, como existe na realidade convencional, entre aparência e realidade, e dessa forma essa verdade absoluta manifesta "não é enganosa". Essa não enganosidade também sugere que, por meio da prática desse mantra, a perfeição da sabedoria pode permitir que se atinja liberdade total do sofrimento e de suas causas. Também a partir dessa perspectiva, pode-se dizer que é a verdade.

> O mantra da perfeição da sabedoria é proclamado:
> *tadyatha gate gate paragate parasamgate bodhi svaha!*
> Shariputra, os bodhisattvas, os grandes seres, devem treinar na perfeição da sabedoria dessa forma.

Em sânscrito, *tadyatha* significa literalmente "sendo assim" e prepara o terreno para o que se segue: *gate gate* significa "vá, vá"; *paragate* significa "vá além"; *parasamgate* significa "vá totalmente além"; e *bodhi svaha* pode ser traduzido como "crie raízes no solo da iluminação". Assim, o mantra pode ser traduzido como: "Vá, vá, vá além, vá totalmente além, crie raízes no solo da iluminação". Podemos interpretar esse mantra metaforicamente como: "Vá para a outra margem", quer dizer, abandone a margem do samsara, da existência não iluminada, que é o seu lar desde tempos imemoriais, e cruze para a outra margem do nirvana final e da liberação completa.

O SIGNIFICADO IMPLÍCITO DO *SUTRA DO CORAÇÃO*

O mantra contém o significado implícito, ou oculto, do *Sutra do Coração*, desvendando como o entendimento da vacuidade está relacionado aos cinco estágios do caminho para o estado de buda. No mantra, podemos ler o primeiro "vá" como sendo uma exortação para se entrar no caminho da acumulação de mérito, e o segundo como uma exortação para o caminho da preparação da mente para perceber a fundo a vacuidade. "Vá além" refere-se ao caminho de ver a realidade, a realização direta e espontânea da vacuidade. Um praticante que vê dessa maneira tornou-se um *arya*, ou um ser nobre. "Vá totalmente além" indica o caminho da meditação (em tibetano, *gom*, literalmente "estar habituado"), no qual a pessoa fica profundamente familiarizada com a vacuidade por meio da prática constante. A parte final do mantra, "bodhi svaha", é uma exortação para a pessoa se fixar firmemente no solo da iluminação, ou seja, entrar no nirvana final.

Podemos relacionar os cinco estágios no caminho para o estado de buda – acumulação, preparação, visão, meditação e o não mais aprender – às diferentes partes do texto principal do *Sutra do Coração*. A apresentação quádrupla da vacuidade no começo do sutra – "Forma é vacuidade, vacuidade é forma. Vacuidade não é outra coisa senão forma; forma também não é outra coisa senão vacuidade" – mostra a maneira de se praticar a vacuidade nos dois primeiros estágios – acumulação e preparação. A vacuidade dos oito aspectos dos fenômenos – "todos os fenômenos são vacuidade; não têm características definidas", e assim por diante – apresenta o modo de se gerar o insight sobre a vacuidade no estágio da visão. A frase "Não existe ignorância, não existe extinção da ignorância", e assim por diante, explica o método de prática da vacuidade no nível do estágio de meditação. A seguinte: "Dessa maneira, Shariputra, uma vez que os bodhisattvas não têm nada a obter, eles confiam nessa perfeição da sabedoria, e nela permanecem", explica a prática da vacuidade no último nível de bodhisattva, no qual o bodhisattva permanece na absorção meditativa adamantina.

A transição efetiva de um estágio para outro ocorre quando o praticante está imerso em equilíbrio meditativo. No estágio inicial, quando o praticante está no caminho da acumulação, o entendimento da vacuidade provém mais do entendimento intelectual da vacuidade e da natureza dos fenômenos. Praticantes bodhisattvas com intelectos perspicazes podem alcançar um entendimento significativo da vacuidade antes da geração da atitude altruística de bodhichitta; os menos inclinados à atividade intelectual podem desenvolver primeiro a aspiração de liberar todos os seres. Em todo caso, um profundo entendimento da vacuidade terá um poderoso impacto sobre outras áreas da prática, reforçando-as e complementando-as. Um entendimento acurado da vacuidade pode levar a uma poderosa renúncia, que é a aspiração de se libertar do sofrimento da existência cíclica, e pode servir de alicerce também para se cultivar forte compaixão por todos os seres.

No estágio da acumulação, a realização da vacuidade provém primeiramente do aprendizado, reflexão e compreensão intelectual; e, por meio da meditação sobre o que se aprendeu, o entendimento torna-se cada vez mais grandioso, até que por fim se obtém uma total clareza sobre o insight. Nesse ponto, entra-se no estágio da preparação. Aqui, a compreensão do indivíduo sobre a vacuidade, embora ainda não seja direta, já não é mais intelectual ou conceitual, mas sim experiencial.

Durante o estágio da preparação, o entendimento da vacuidade torna-se progressivamente mais intenso, mais sutil e mais claro. O uso dos conceitos na meditação recua gradativamente. Quando todas as percepções dualísticas de sujeito e objeto, realidade convencional e existência intrínseca são removidas, e entra-se no caminho da visão. Nesse ponto não há separação de sujeito e objeto; é como se a experiência subjetiva e seu objeto tivessem se fundido, como água despejada dentro da água, e a meditação sobre a vacuidade torna-se espontânea e direta.

À medida que a experiência da vacuidade se aprofunda, a pessoa faz frente às várias aflições mentais durante o estágio da meditação ou familiarização. Nesse estágio, progride-se pelo que é conhecido como os *sete níveis impuros de bodhisattva*. São chamados impuros porque as aflições mentais não estão erradicadas em sua plenitude até o oitavo nível. No oitavo, nono e décimo níveis, enfrentam-se até as propensões e marcas deixadas pelas aflições. Por fim, quando se remove o obscurecimento que impede a percepção simultânea da verdade absoluta e convencional dentro de um único evento cognitivo, revela-se a mente onisciente de um buda.

REGOZIJO GERAL

A declamação do mantra da perfeição da sabedoria conclui a resposta de Avalokiteshvara à pergunta de Shariputra na parte de abertura do *Sutra*

A Essência do Sutra do Coração

do Coração. Até aqui, discutimos a inspirada escritura e, daqui em diante, discutiremos a expressão de regozijo, que pertence à categoria das escrituras faladas, os ensinamentos falados pelo Buda em pessoa.

> A seguir, o Abençoado saiu daquela absorção meditativa e elogiou o sagrado Avalokiteshvara, o bodhisattva, o grande ser dizendo: 'Excelente! Excelente! Oh, nobre filho, é exatamente isso; é exatamente assim que deve ser. Deve-se praticar a profunda perfeição da sabedoria exatamente como você revelou, pois até os tathagatas se regozijarão.'

Até aqui, o Buda havia estado profundamente imerso na absorção meditativa sobre a aparência do profundo. Sem qualquer volição da parte dele, o Buda inspira Avalokiteshvara e Shariputra a entrarem no diálogo precedente. Quando o diálogo está concluído, o Buda elogia e ratifica a declaração de Avalokiteshvara. A ratificação indica que a absorção meditativa do Buda é de fato uma fusão do equilíbrio meditativo sobre a vacuidade – a verdade absoluta – e o pleno conhecimento do mundo dos fenômenos a se desdobrar continuamente – a verdade convencional. Essa percepção simultânea é uma qualidade exclusiva da mente de um buda.

O *Sutra do Coração da Sabedoria* é concluído da seguinte maneira:

> Quando o Abençoado proferiu essas palavras, o venerável Shariputra, o sagrado Avalokiteshvara, o bodhisattva, o grande ser, junto com toda a assembleia, incluindo os mundos dos deuses, humanos, asuras e gandharvas, todos se regozijaram e saudaram o que o Abençoado havia dito.

Quando lemos uma escritura como essa e nos empenhamos inteiramente em captar a grandeza de seu significado, podemos começar a valorizar os intensos sentimentos declarados nas homenagens ao Buda. A partir das profundezas de sua realização, Tsongkhapa, o grande meditante e erudito do século XIV, escreveu as seguintes linhas, expressando sincera admiração e infinita gratidão pelo ensinamento do Buda sobre a imensa verdade da vacuidade:

Atingindo o Resultado

E nesse momento, enquanto contemplo suas palavras,
surge em mim o pensamento:
'Ah, esse professor, envolvido em um halo de luz
e radiante com as gloriosas marcas maiores e menores,
assim ensinou em sua melodia brahma perfeita'.
Ó Buda, quando sua imagem reflete em minha mente,
traz alívio para o meu fatigado coração,
como os frescos raios de luar para alguém atormentado pelo calor.[28]

Parte III

*O Caminho
do Bodhisattva*

capítulo 12

Geração de Bodhichitta

Uma abordagem gradativa

Precisamos de uma abordagem gradativa em nosso treinamento espiritual a fim de progredir em nossos desenvolvimentos espiritual e mental rumo a um estado de mente bastante disciplinado e inteiramente realizado. Vemos esse processo de aperfeiçoamento gradativo em tudo, tanto no mundo físico quanto no reino interno da mente. De fato, ele parece ser uma lei natural, um corolário, por assim dizer, da lei de causa e efeito. A transformação mental e o desenvolvimento espiritual gradativos devem ocorrer com base no que os budistas chamam união do método (*upaya*) e da sabedoria (*prajna*). O *Sutra do Coração* é uma apresentação maravilhosa da sabedoria, e o examinamos em sua totalidade. Agora, vamos prestar um pouco de atenção no método, sobretudo no que concerne ao desenvolvimento da compaixão.

Para que a sabedoria da vacuidade funcione como um antídoto realmente efetivo para as aflições mentais e os obscurecimentos sutis ao conhecimento, deve-se ter o fator complementar de *bodhichitta*, a intenção altruística de atingir o estado de buda para o benefício de todos os seres. A bodhichitta, a característica do método do caminho, é um elemento imprescindível para se obter a mente onisciente da iluminação plena – a mente de um buda plenamente desperto. Além disso, pode-se dizer que a bodhichitta é a característica que define um bodhisattva, ou o que o *Sutra do Coração* chama "um nobre filho ou nobre filha".

Uma pessoa pode ter um entendimento perfeito e profundo da vacuidade, e pode até ter obtido a liberdade da existência cíclica; contudo,

A Essência do Sutra do Coração

enquanto faltar a bodhichitta, ela não é um bodhisattva. Com o objetivo de gerar a bodhichitta, não adianta apenas desejar compassivamente que os outros seres sencientes fiquem felizes e livres do sofrimento. É necessário ter um imenso senso de comprometimento de que *eu mesmo* vou assumir a responsabilidade de libertar todos os outros seres do sofrimento. A fim de gerar uma compaixão tão poderosa, é preciso primeiro desenvolver um senso de intimidade e empatia com os outros seres sencientes; sem uma intimidade verdadeira, a bodhichitta genuína não consegue se manifestar. Vamos examinar a seguir o que essa intimidade acarreta.

Os grandes mestres indianos do mosteiro de Nalanda estabeleceram dois métodos principais para a geração de *bodhichitta*: o método dos sete pontos de causa e efeito e o método de se igualar aos outros e trocar a si mesmo por eles.

O MÉTODO DOS SETE PONTOS DE CAUSA E EFEITO

No método dos sete pontos de causa e efeito, você visualiza cada ser como a sua querida mãe ou uma outra pessoa por quem tenha a máxima afeição – alguém que personifique uma grande bondade. Para praticar esse aspecto do método, evocam-se os sentimentos de afeição que surgem pela mãe ou por uma outra pessoa maternalmente bondosa e amorosa, e a seguir estendem-se esses sentimentos para todos os demais seres, percebendo que cada um foi também bondoso e amoroso com você. Quando verdadeiramente percebemos nossa interconexão no âmbito de vidas desde os primórdios, compreendemos que cada um dos outros seres foi nosso pai e nos tratou com a mesma bondade amorosa e acalentadora.

Podemos observar o que esse tipo de bondade ocasiona olhando o reino animal. Se observarmos os pássaros com atenção, por exemplo, veremos que, até que os filhotes sejam capazes de cuidar de si mesmos, a mãe os mantém sob suas asas e cuida deles. Independentemente de ela ter ou não o que nós humanos chamamos compaixão, esse ato é, sem dúvida, a imensa bondade materna. Os filhotes dependem por completo da mãe, comportam-se como se ela fosse sua única protetora, único refúgio e única provedora. Além disso, a mãe é tão dedicada ao bem-estar dos filhotes que estaria disposta, se necessário fosse, a sacrificar a própria vida a fim de protegê-los. É esse o espírito que precisamos cultivar em relação a todos os seres.

Contemplar as vidas desde tempos imemoriais permite-nos reconhecer que todos os seres sencientes agiram dessa exata maneira em relação a nós, em alguma circunstância e em algum grau. Valorizando isso, desenvolvemos um forte senso de empatia e gratidão para com os outros seres sencientes, o que, por sua vez, permite-nos sentir uma noção maior de proximidade em relação a eles. Sentindo essa proximidade, somos capazes de perceber a bondade deles para conosco, a despeito de como possam comportar-se em relação a nós no presente. É isso que significa intimidade genuína com todos os seres.

Mas, como todas as outras coisas, essa intimidade surge aos poucos. O primeiro estágio é o cultivo de um senso de equanimidade em relação a todos os seres. Em nosso estado de mente normal, cotidiano, nossas emoções e atitudes em relação a eles flutuam loucamente – nos sentimos próximos de algumas pessoas e distantes de outras; até mesmo nossos sentimentos por uma única pessoa podem pender de um extremo a outro quando alguma pequena circunstância se altera. Se não purgamos as aflições de nossa mente, nosso senso cotidiano de proximidade está inevitavelmente fundamentado na delusão, no apego. A proximidade fundamentada no apego pode na verdade obstruir a geração de compaixão verdadeira. Assim, começamos pelo cultivo da equanimidade. A seguir, tendo cultivado a equanimidade, cultivamos um senso de proximidade em relação aos outros, fundamentado no raciocínio perfeito, e não no apego.

Com o tempo, geramos tamanho senso de intimidade que não conseguimos suportar que os outros seres sofram. Por fim, nossa grande compaixão, nosso desejo sincero de ver os outros livres do sofrimento, torna-se tão poderoso que nos comprometemos a liberá-los do sofrimento. E, da mesma maneira que geramos bondade amorosa – o desejo de que os outros desfrutem da felicidade –, novamente nos comprometemos a fazer isso acontecer. No final, quando geramos essa poderosa compaixão e bondade amorosa em conjunto com um senso de comprometimento pessoal, damos origem à "extraordinária atitude altruística" que faz com que busquemos libertar todos os seres do sofrimento. Uma vez que tenhamos cultivado essa atitude extraordinária, podemos analisar se de fato possuímos a capacidade de proporcionar bem-estar absoluto para os outros. O grande lógico indiano Dharmakirti diz na *Exposição da Cognição Válida (Pramanavarttika)*:

> Se os fatores relativos aos meios permanecem obscuros,
> É difícil explicá-los aos outros.[29]

Do ponto de vista budista, o meio mais efetivo para garantir o bem-estar absoluto de todos os outros seres sencientes é guiá-los para o estado de buda. Contudo, visando conduzi-los a essa meta, nós mesmos devemos ter o conhecimento e a realização desse estado. Refletindo dessa maneira, acabamos reconhecendo que, para garantir o bem-estar absoluto de todos os seres sencientes, nós devemos atingir a iluminação. Esse pensamento, o ápice da prática dos sete pontos, é bodhichitta. Ela é dotada da aspiração de trazer bem-estar aos outros e da aspiração de atingir a iluminação com esse propósito.

IGUALAR-SE AOS OUTROS E TROCAR A SI MESMO PELOS OUTROS

Um outro método, igualar-se aos outros e trocar a si mesmo pelos outros, envolve o cultivo de um profundo reconhecimento da igualdade fundamental do indivíduo e dos outros. De fato, no que concerne ao desejo de busca da felicidade e superação do sofrimento, o indivíduo e os outros são absolutamente idênticos. Devemos cultivar o pensamento: "Assim como eu tenho o direito de preencher a aspiração básica de ser feliz e superar o sofrimento, os outros também têm; assim como eu tenho o potencial para preencher essa aspiração, os outros também têm". A diferença entre o indivíduo e os outros reside apenas no número: em um caso trata-se de um único indivíduo, e no outro, de incontáveis seres. Portanto, a seguir perguntamos: qual necessidade é maior?

Muitas vezes, quando pensamos em nossos interesses versus os interesses dos outros, temos uma noção de que ambos não estão relacionados. Não é assim. Uma vez que todo mundo faz parte de uma comunidade, um tecido social complexo, qualquer evento negativo na vida de uma pessoa tem impacto negativo em toda a comunidade. De modo semelhante, qualquer coisa que afete a comunidade também afeta cada membro individualmente.

Além disso, considerem a seguinte linha de raciocínio: se, nutrindo pensamentos de autozelo perpetuamente, pudéssemos preencher nossas aspirações autocentradas de alcançar a felicidade pessoal, então, por termos feito isso de modo incessante desde o nascimento e ao longo de incontáveis vidas, a essa altura com certeza já deveríamos ter tido êxito. Mas é claro que não tivemos. Portanto, devemos concluir que usar nossa mente do modo autocentrado habitual jamais nos trará a felicidade absoluta, nem irá liberar o nosso estimado eu do sofrimento.

Em contraste, no *Guia para o Modo de Vida do Bodhisattva*, Shantideva afirma que se, em algum ponto do passado, tivéssemos invertido nosso jeito de ser, descartando o autozelo e adotando em vez disso o pensamento de zelar pelo bem-estar dos outros, seguindo o caminho com essa perspectiva, a essa altura já teríamos atingido a iluminação. Ele escreveu:

> Se no passado remoto você tivesse
> executado ações como essa,
> a situação atual não seria
> outra que não a bem-aventurança da perfeição do Buda.[30]

ZELAR POR SI MESMO *VERSUS* ZELAR PELOS OUTROS

Na *Guirlanda Preciosa (Ratnavali)*, Nagarjuna afirma que, para aqueles que desejam atingir o estado onisciente de um buda, é essencial manter três princípios fundamentais: a grande compaixão, que é a raiz; a bodhichitta, que surge da grande compaixão; e a sabedoria que realiza a vacuidade, que é o fator-chave que complementa os outros dois.

Todos os grandes seres, como o Buda Shakyamuni, reconheceram as deficiências do autozelo e os benefícios do cultivo do pensamento de zelar pelo bem-estar dos outros. Em contraste, continuamos a viver em um ciclo de sofrimento que vai em frente de maneira incessante, como as ondas do oceano – antes mesmo de uma onda acabar, surge outra. Embora reclamemos do sofrimento, ficamos presos nesse ciclo porque depositamos nosso bem-estar nessa atitude extremamente autocentrada e porque nos vinculamos à atitude traiçoeira de nos agarrarmos à auto-existência.

Na raiz de todo sofrimento estão duas forças poderosas: agarrar-se a si mesmo – o apego deludido a um eu intrinsecamente real – e o pensamento autocentrado que zela apenas pelo próprio bem-estar. Essas duas atitudes residem nas profundezas dos recantos mais íntimos de nosso coração e ali reúnem suas forças e mantêm domínio incontestável sobre nossas vidas. A menos que busquemos ativamente o perfeito entendimento da vacuidade e a compaixão pelos outros, esse domínio permanecerá, tão duro e imutável quanto um diamante.

É importante que não entendamos de maneira equivocada o ideal altruístico de zelar pelos outros seres scientes. Não devemos entender que isso implique sacrificar ou abrir mão de nossos interesses pessoais por completo. De fato, se olhamos a prática de bodhichitta, vemos que o cultivo dessa aspiração altruística é acompanhado pela aspiração de se obter iluminação plena, o que em última análise representa o mais elevado de nossos interesses pessoais. A iluminação plena tem dois aspectos, simbolizados pela união de "corpo da forma" (*rupakaya*) e "corpo da realidade", ou "corpo da verdade" (*dharmakaya*). O corpo da realidade representa o preenchimento do autointeresse pessoal, enquanto o corpo da forma representa o preenchimento do bem-estar dos outros seres scientes. De modo semelhante, o grande mestre tibetano Tsongkhapa ressalta que, quando se ajuda os outros seres scientes, os desejos pessoais são preenchidos como um subproduto. De fato, buscar os interesses maiores dos outros é o meio mais sábio de ir atrás dos próprios interesses.

A PRÁTICA DE DAR E RECEBER

Depois de se ter desenvolvido profunda empatia pelos outros, pode-se adentrar na prática de *tong len,* que significa "dar e receber" em tibetano. Nessa prática, a pessoa imagina estar recebendo todo o sofrimento e o potencial para sofrimento dos outros, enquanto oferece a eles sua própria felicidade e potencial positivo. A prática de receber acentua essencialmente a compaixão, enquanto a prática de dar acentua sobretudo a bondade amorosa. Pode-se questionar o quanto essa prática é efetiva para beneficiar diretamente o objeto da meditação de alguém, embora isso seja possível onde existe uma forte conexão kármica entre os indivíduos. Contudo, o certo é que a prática de tong len tem um enorme impacto no aumento da coragem e determinação da pessoa para preencher a aspiração bodisattva. Além disso, o tong len diminui a força da atitude de autozelo, enquanto acentua a força do pensamento de zelar pelo bem-estar dos outros. Quando treinada por meio da abordagem de igualar a si mesmo com os outros e trocar a si mesmo por eles, essa prática também pode dar origem à atitude altruística extraordinária, e por fim à própria bodhichitta.

Geração de Bodhichitta

Deixem-me enfatizar mais uma vez que o desenvolvimento de bodhichitta é gradativo. Começa no nível do entendimento intelectual, oriundo de se ouvir ou estudar os ensinamentos. À medida que continuamos a refletir sobre bodhichitta no nível intelectual, a uma determinada altura podemos começar a sentir uma noção mais profunda de convicção nos nobres ideais de bodhichitta. Teremos atingido então o que poderia ser chamado nível reflexivo de experiência. Ao nos aprofundarmos mais ainda nessa contemplação e entendimento, chegaremos a um ponto onde no mínimo iremos compreender genuína e acuradamente o ideal, ou o sentimento de bodhichitta. Compreendendo isso, nos tornamos capazes de praticar de forma plena os processos de pensamento do cultivo de bodhichitta e de sentir um poderoso impacto interno; nesse ponto, teremos atingido a bodhichitta que surge por meio do esforço – mas essa bodhichitta simulada ainda não é a verdadeira bodhichitta. Somente por meio de muita prática adicional podemos chegar ao ponto onde bodhichitta surge de forma espontânea. Nesse momento, não mais precisamos passar por um processo de pensamento deliberado para que a bodhichitta surja; um simples pensamento inicial ou algum estímulo externo pode dar origem a essa emoção poderosa. Essa bodhichitta genuína é a bodhichitta do bodhisattva e, ao atingi-la, a pessoa se torna um bodhisattva.

Posfácio

Quando essa série de palestras foi proferida pela primeira vez, tive a maravilhosa oportunidade de escutar os cânticos de participantes de várias tradições budistas no começo de cada sessão. Historicamente, a Theravada, a tradição principal do Sri Lanka e sudeste da Ásia, é a mais antiga entre os seguidores do nosso compassivo e habilidoso professor, o Buda Shakyamuni, e essa tradição preservou os ensinamentos do Buda na linguagem páli. Ouvi também os cânticos de seguidores da tradição budista chinesa, cuja fonte primária é a tradição sânscrita e, em alguma medida, a páli. A esses seguiram-se os cantos de seguidores da tradição monástica vietnamita. A maioria dessas diferentes tradições do Budismo é anterior ao Budismo Tibetano. De modo que tive a chance de escutar os cânticos tibetanos por último, conforme era apropriado.

Fiquei muito comovido e também muito grato por ter participado dessa preciosa ocasião, quando representantes de várias tradições budistas – todos estudantes do mesmo professor, o Buda Shakyamuni – apresentaram seus cânticos em um mesmo palco. É importante destacar que, na China, o Budismo tem sido uma das religiões dominantes. O cântico da escritura budista em chinês realçou as aspirações espirituais de milhões de seres humanos daquele país, ao longo de sua história, que continuam a ter fé nos ensinamentos do Buda. Nas últimas décadas, houve grandes danos ao Buddhadharma naquele país. Entretanto, as ricas tradições culturais chinesas, incluindo a fé budista, ainda estão bem vivas até hoje.

Com o passar do tempo, embora muitas ideologias e sistemas mais recentes fracassem, os valores do Budismo, e de todas as grandes religiões do mundo, ainda estão pulsando na sociedade humana, e nas vidas e nos corações de seres humanos individualmente. Creio que esse é um sinal de esperança para a família humana, pois dentro dos valores de nossas religiões residem as chaves para um mundo mais justo e pacífico para as gerações futuras. Ofereço minhas preces para que os aspectos positivos das religiões do mundo possam crescer nas mentes de seus praticantes, e para que a religião não mais seja usada como base para conflito e discórdia, mas sim para maior entendimento e cooperação entre os habitantes do planeta, e para que, por meio do esforço individual, cada um de nós possa garantir o bem-estar de todos.

Apêndice

Elucidação completa do significado das palavras: Uma exposição sobre o "Coração da Sabedoria"[31]

Jamyang Gawai Lodro (1429-1503)

Respeitosamente, presto homenagem aos pés de lótus do muitíssimo sagrado Manjushri.

> Tendo reverenciado o conquistador que ensinou que não existem dois, mas apenas um caminho trilhado por todos os budas e seus filhos, elucidarei aqui, brevemente, as palavras do *Coração [da Sabedoria]*, que é o mais estimado tesouro de todos os seus ensinamentos.

Aqui, a exposição do *Coração da Sabedoria* tem quatro seções:

1. O significado de seu título.
2. Homenagem do tradutor.
3. Assunto do texto principal.
4. Conclusão.

O primeiro refere-se a: "Em linguagem indiana..." etc., cujo entendimento é fácil.

O segundo [a homenagem do tradutor] refere-se a: "Homenagem a Bhagavati, a perfeição da sabedoria". Isso foi inserido pelo tradutor.

Assunto do texto principal

O terceiro [o assunto do texto principal] consiste de duas seções:

A Essência do Sutra do Coração

I. Prólogo indicando a originação do sutra.
II. Assunto do sutra então desenvolvido.

Prólogo

O primeiro é duplo:

A. Prólogo comum.
B. Prólogo incomum.

O primeiro [o prólogo comum] refere-se à reunião dos *quatro fatores perfeitos*. "Foi assim que certa vez eu ouvi", indica o fator perfeito do tempo; "O Abençoado", indica o fator perfeito do professor; "Em Rajagriha, no Pico do Abutre", indica o fator perfeito do local; e "junto com uma grande comunidade de monges... bodhisattvas", indica o fator perfeito da comitiva. Esses são fáceis de se entender.

O segundo [o prólogo incomum] refere-se a [duas passagens seguintes:] "Naquela ocasião, o Abençoado entrou em absorção meditativa sobre a variedade de fenômenos chamada aparência do profundo", e: "Naquele momento também, o nobre Avalokiteshvara, o bodhisattva, o grande ser, contemplou claramente a prática da profunda perfeição da sabedoria e viu que até mesmo os cinco agregados são vazios de existência intrínseca". O professor permaneceu na absorção meditativa e, por meio de sua bênção, inspirou as perguntas e respostas que se seguiram.

Assunto do sutra

O assunto do sutra, que é o ensinamento perfeito, possui quatro partes:

A. A pergunta de Shariputra sobre o modo de se praticar a perfeição da sabedoria.
B. As respostas de Avalokiteshvara.
C. A ratificação do professor.

Apêndice

D. O deleite dos membros da assembleia e seu voto de apoio.[32]

A primeira [pergunta de Shariputra] é [apresentada como segue]: "Então, por meio da inspiração do Buda, o venerável Shariputra falou ao nobre Avalokiteshvara, o bodhisattva, o grande ser: 'Como deve treinar qualquer nobre filho ou nobre filha que deseje se empenhar na profunda perfeição da sabedoria?'" A questão é assim levantada. É uma questão relativa ao modo de treinamento nas prática [de bodhisattva] na continuidade da geração da mente [de despertar] para aqueles que possuem inclinação pelo grande veículo.

A segunda – a forma como foram dadas as respostas – tem três partes:

1. Apresentação individual do modo de treinamento no caminho para aqueles com aptidões inferiores.
2. Apresentação por meio das meras palavras do *mantra* para aqueles com aptidões superiores.
3. Exortação para se treinar por meio do resumo do assunto.

A primeira consiste de [o seguinte]:

a. Apresentação do modo de treinamento na perfeição da sabedoria no caminho da acumulação e no caminho da preparação.
b. Apresentação do modo de treinamento no caminho da visão.
c. Apresentação do modo de treinamento no caminho da meditação.
d. Apresentação do modo de treinamento no caminho do não mais aprender.

Treinamento nos caminhos da acumulação e da preparação

O primeiro é composto de:

(1) Transição.
(2) Modo de treinamento na natureza [absoluta] do agregado da forma.

A Essência do Sutra do Coração

(3) Extensão da mesma análise aos agregados restantes.

O primeiro [a transição] é apresentado como segue: "Quando isso foi dito, o sagrado Avalokiteshvara, o bodhisattva, o grande ser, respondeu ao venerável Shariputra: 'Shariputra, qualquer nobre filho ou nobre filha que deseje se empenhar na prática da profunda perfeição da sabedoria deve ver claramente dessa maneira'". Pela declaração de que é assim que se deve ver no caminho da acumulação e no caminho da preparação, é proporcionada uma transição [entre a pergunta de Shariputra e a resposta de Avalokiteshvara].

O segundo [o modo de treinamento na natureza absoluta do agregado da forma] é [primeiro] apresentado de forma concisa como segue: "Deve perceber perfeitamente que até os cinco agregados são vazios de existência intrínseca".[33]

"De que maneira [os fenômenos] são vazios de existência intrínseca?" [Resposta] "A forma é desprovida de existência intrínseca; embora ainda assim aparece como forma. A vacuidade não é outra coisa senão o agregado da forma; a forma também não é de uma natureza distinta da vacuidade."[34] Dessa maneira, mostrando que as duas verdades são uma só realidade, mas com dois aspectos, revela-se que elas estão isentas dos dois extremos do absolutismo e do niilismo.

O terceiro [extensão da mesma análise aos agregados restantes] é apresentado na passagem: "Da mesma maneira, sensações... consciência são todas vazias". Com isso, ensina-se que os demais agregados devem ser vistos da mesma maneira. Isso é conhecido como *vacuidade quádrupla* e [também é] referida como o *profundo dotado de quatro aspectos*. O ponto que está sendo sublinhado aqui é que a pessoa vê [a vacuidade] no caminho da acumulação primeiramente ouvindo e refletindo, e no caminho da preparação, principalmente por meio do entendimento proveniente da meditação.

Treinamento no caminho da visão

O segundo [treinamento no caminho da visão] é apresentado na passagem: "Portanto, Shariputra, todos os fenômenos são vacuidade; não têm

Apêndice

características definidas... não são completos." Isso é conhecido como o *profundo dotado de oito aspectos*. Refutando os oito aspectos do objeto de negação, essa [passagem] mostra o modo de se entrar pelas três portas da liberação plena no caminho da visão. Isso é declarado nas instruções orais do grande mestre [Atisha], que foram colocadas por escrito por Ngok Lekshe em sua apresentação concisa.[35]

"Todos os fenômenos são vacuidade", estabelece a *porta da liberação plena da vacuidade*, enquanto os cinco – "Não têm características definidas; não nascem, não cessam; não são puros, não são impuros; não são incompletos, e não são completos" – mostram a *porta da liberação plena da ausência de sinais*. Isso porque apresentam a ausência dos cinco sinais – as características significantes de causa, a inexistência de originação e cessação, que são os significados, a ausência da classe de fenômenos completamente aflitos, que são os impuros, e a ausência da classe de fenômenos iluminados, que são isentos de impurezas. [A frase] "Não são incompletos", apresenta a [*porta da liberação plena da*] *ausência de desejos* de resultados.

TREINAMENTO NO CAMINHO DA MEDITAÇÃO

O terceiro – treinamento no caminho da meditação – tem duas partes:

(1) Modo de treinamento no caminho da meditação em geral.
(2) Modo de treinamento na [absorção] causal adamantina.

A primeira [o modo de treinamento no caminho da meditação em geral] é apresentada na passagem: "Portanto, Shariputra, na vacuidade não existe forma... nem mesmo não obtenção". Vimalamitra acrescenta uma locução adverbial precedente, lendo-se assim: "Portanto, a essa altura, na vacuidade não existe forma". Ele lê isso como uma afirmação de que o caminho da meditação, que é o continuum da familiarização, surge como fruto da efetivação das três portas da liberação plena no caminho da visão por meio da refutação dos oito objetos de negação. Assim colocado, levanta-se a questão: "Que tipos de percepção surgem no caminho da

A Essência do Sutra do Coração

meditação enquanto alguém está imerso no equilíbrio meditativo no que se refere às perspectivas desse equilíbrio meditativo?" É revelado que "da forma à obtenção e não obtenção" [os fenômenos] não aparecem como nada [disso]. Vimala então cita [a passagem]: "Ver todos os fenômenos é ver a vacuidade".[36]

A não observância dos cinco agregados é apresentada na passagem: "Não existe forma, sensações..." até "... consciência". A não observância das doze fontes é mostrada na passagem: "Não existe olho... objetos mentais." A não observância dos dezoito elementos é apresentada na passagem: "Não existe elemento da visão..." até "... elemento da consciência mental". Há uma observação de que, no texto indiano [original] existe uma exposição concisa até [a classe das] faculdades e consciência; entretanto, o tradutor abreviou-a [aqui]. Considero essa visão aceitável.

A seguir, a passagem: "Não existe ignorância... e extinção do envelhecimento e morte", apresenta a ausência da classe de fenômenos completamente aflitos e até mesmo da originação dependente da classe de fenômenos iluminados no que se refere à perspectiva do equilíbrio meditativo. A passagem: "Sofrimento...", menciona a ausência das [quatro nobres] verdades, que são os objetos do caminho. A passagem: "Não existe sabedoria...", mostra que até o caminho em si não existe no que diz respeito a essa perspectiva.[37]

Vimala afirma que em algumas versões [do *Sutra do Coração*] há também a passagem: "Não existe ignorância". Se é assim, isso deve ser lido como uma declaração de que não existe sequer o oposto da sabedoria, que é a ignorância. Um mestre posterior, o grande Choje Rongpa, parece seguir uma tradição que sugere que no texto indiano existe a sentença: "Não existe insight perante [a referência à] sabedoria".[38]

A frase: "Não existe obtenção", indica a ausência de obtenção de frutos como os [dez] poderes e os [quatro tipos de] destemores. Isso deve se estender igualmente a: "Também não existe não obtenção". Vimala lê isso como declarando que: "Tendo negado concepções de obtenção, a fim de negar as concepções relativas à não obtenção...". Entretanto, o grande Choje Rongpa acrescenta a qualificação: "No nível absoluto, não existe obtenção; contudo, no convencional, não existe sequer não obtenção". Ele então sustenta que essa formulação dual deve ser estendida a todas [as classes de fenômenos mencionadas] até aqui.

Apêndice

Isso parece uma interpretação da intenção da seguinte declaração de Vimala: "Deve-se entender que essa [passagem] revela o significado profundo, que é isento dos extremos da reificação e denigração, indo além da sabedoria, ignorância, obtenção e não obtenção". Entretanto, visto que o contexto aqui é uma discussão sobre como a percepção da forma não surge dentro da perspectiva do equilíbrio meditativo quando se esquadrinha a natureza da realidade, [isso reflete a] falha do entendimento de Choje.

Assim, a declaração de que não existe o que quer que seja – os cinco agregados, as doze fontes, os dezoito elementos, os doze elos da originação dependente, as quatro nobres verdades, a natureza da percepção dos caminhos, a obtenção de resultados ou a não obtenção – dentro da perspectiva do equilíbrio meditativo, e a declaração de que são desprovidos de existência intrínseca, compartilham o mesmo significado. Isso porque, se a forma existe dentro da perspectiva da própria percepção de seu modo de ser absoluto, a forma então torna-se substancialmente real. Assim, em resumo, essas passagens instruem que, no caminho da meditação, deve-se permanecer em equilíbrio no sabor único da talidade, que é a pacificação total de todas as elaborações dualísticas, tais como a conceitualização da forma e assim por diante.

A segunda [o modo de treinamento na absorção meditativa causal adamantina] é apresentada no que se segue: "Dessa maneira, Shariputra, uma vez que os bodhisattvas nada têm a obter, eles confiam nessa perfeição da sabedoria, e nela permanecem".

Isso é apresentado na passagem: "Não tendo obscurecimento em suas mentes, eles não têm medo e, por irem completamente além do erro, alcançarão o nirvana final".

Treinamento no caminho do não mais aprender

Vimala afirma que, pela eliminação gradual dos obscurecimentos grosseiros e sutis correspondentes aos dez níveis [de bodhisattva], conforme enumerados no *Sutra que Desvenda o Pensamento do Buda*, fica-se livre dos medos nascidos das quatro distorções. Vai-se além deles e se obtém o nirvana não permanente.[39] O grande Choje Rongpa, entretanto, lê isso

A Essência do Sutra do Coração

como uma declaração de que: "Visto que não há o obscurecimento de agarrar-se a si mesmo na mente, não existe medo da vacuidade", parecendo introduzir desse modo novas palavras à vontade.

Se fosse para resumir, essa [seção do texto] apresenta [o seguinte]: No caminho da acumulação e no caminho da preparação, a pessoa empenha-se na prática da vacuidade ouvindo e refletindo e por meio da meditação respectivamente; ao passo que no caminho da visão ela efetiva as três portas da liberação plena por meio da refutação dos oito objetos de negação. No caminho da meditação, pacificam-se todas as elaborações, tais como a conceitualização da forma e assim por diante, e percorrem-se os dez níveis [de bodhisattva]. Desse modo, eliminam-se todas as impurezas correspondentes aos dez níveis e se obtêm os estados dos "três grandes [objetivos]".[40] Nesse sentido, o texto apresenta o modo de treinamento nos cinco caminhos para os praticantes de aptidões inferiores.

A seguir, a passagem: "Todos os budas dos três tempos também...", apresenta a necessidade de se treinar no mesmo caminho de todos os budas. Isso é fácil de entender.

Apresentação por meio das meras palavras do mantra para aqueles com aptidões superiores

A segunda [a apresentação por meio das meras palavras do mantra para aqueles com aptidões superiores] é apresentada na passagem: "Assim, deve-se saber que o mantra da perfeição da sabedoria... *svaha.*"

Dado que a perfeição da sabedoria contém o significado de *mantra* (literalmente, "proteção da mente"), ela é referida aqui como "mantra". Sua grandeza é conforme segue: [o mantra] "do grande conhecimento, o mantra insuperável, o mantra igual ao inigualável, o mantra que esmaga todo o sofrimento", e, por treinar a pessoa nas [na consecução de] suas aspirações, "deve ser reconhecido como a verdade". Qual é esse mantra? "*Tadhyata*", que, como o *om*, introduz as palavras subsequentes [do mantra]. "*Gate gate*", significa: "Vá, vá". O primeiro *gate* indica [vá pelo] caminho da acumulação, e o segundo: "Vá pelo caminho da preparação". "*Paragate*" significa: "Vá pelo caminho da visão". "*Parasamgate*" significa: "Vá per-

Apêndice

feitamente pela outra margem, a margem da meditação". "*Bodhi svaha*" significa: "Vá perfeitamente para a grande iluminação e se estabeleça firmemente".

A ideia é que, no que diz respeito aos praticantes de aptidões superiores, eles podem entender o treinamento no caminho com base apenas nesse mantra. Assim, para sublinhar o contraste com os praticantes de aptidões inferiores, isso foi chamado "mantra". Entretanto, não é um mantra no sentido das quatro classes do tantra. Embora os mestres Kadam do passado tenham ensinado a visualização da imagem da grande mãe [a perfeição da sabedoria] e a recitação desse mantra, não falaram em visualizar a si mesmo como a mãe da perfeição da sabedoria. Embora alguns tibetanos conduzam cerimônias de iniciação nisso, [estão equivocados] a base das práticas [isto é, a perfeição da sabedoria e o tantra] permanece diferente.

Portanto, se a pessoa contemplar o significado do *profundo dotado dos quatro aspectos* e dos *oitos aspectos*, estando ao mesmo tempo ciente do modo de trilhar os cinco caminhos, e se, depois de recitar esse mantra, exclamar o poder dessa verdade e bater palmas, receberá grandes ondas de bênçãos. Foi exatamente assim que, no passado, Indra foi capaz de sobrepujar as forças de mara como resultado de contemplar o significado desse mantra.

EXORTAÇÃO PARA SE TREINAR POR MEIO DO RESUMO DO ASSUNTO

A terceira [a exortação para se treinar por meio do resumo do assunto] é apresentada na seguinte passagem: "Avalokiteshvara, o bodhisattva, o grande ser... Excelente!" Isso é fácil de entender.

A declaração de que não apenas o nosso professor, mas todos os tathagatas se regozijaram indica a resposta de Avalokiteshvara e apresenta a própria intenção iluminada do professor.

O DELEITE DOS MEMBROS DA ASSEMBLEIA E SEU VOTO DE APOIO

A quarta [o deleite dos membros da assembleia e seu voto de apoio] é apresentada na passagem: "Quando o Abençoado proferiu essas palavras, o venerável Shariputra... se regozijaram e saudaram o que o Abençoado havia dito."

Das três classes de escrituras – aquelas que aparecem mediante permissão concedida, as que são inspiradas, e as proferidas verbalmente –, o prólogo no início e a expressão de louvor [no fim] são escrituras mediante permissão concedida. O diálogo no meio é uma escritura inspirada, enquanto a ratificação a Avalokiteshavara é uma escritura proferida.

Além disso, esse sutra é dotado dos cinco fatores perfeitos. O prólogo apresenta os quatro fatores perfeitos – professor, ocasião, local e assembleia –, enquanto as perguntas e respostas apresentam o fator perfeito do ensinamento.

Dedicação

Assim eu pronuncio:

Quando o criador do discurso, que é insuperável no discurso,
abençoou as gargantas de seres como o Detentor do Lótus Branco[41]
e Shariputra, emergiram conversações como essa.
Como isso é possível a não ser com os ensinamentos daquele que é
  o habilidoso?

Ouvindo ou enfocando isso, ou por meio disso,
mesmo que se ministrem os conhecimentos [disso para outros]
  diversas vezes,
revela-se o que foi ensinado. Essa fortuna de preservar
o entendimento à vontade é a própria dádiva do professor.

Assim, seguindo as pegadas do pai sublime,
e buscando refúgio nas deidades da meditação,
possa eu continuar a desfrutar da fortuna de participar
das celebrações da preservação dos ensinamentos do Buda.[42]

Apêndice

Colofão

Essa breve exposição do significado das palavras do *Sutra do Coração*, feita de um jeito fácil de entender, foi colocada por escrito pelo monge Jamyang Gawai Lodro, eloquente no Dharma. Ela foi baseada no que aparece como [entendimento] convergente no comentário extensivo de Vimala, no sumário composto por Ngok Lekshe, e no comentário curto escrito pelo extremamente culto Kamalashila,[43] e também mediante certificação de que não há alteração por intervenções pessoais.

Por meio da força da união das aspirações puras de todos aqueles que se associaram no trabalho para imprimir isso – o copista Ngawang Chogyal, da Casa Phukhang do [mosteiro de] Drepung Loseling, e aqueles que proporcionaram recursos materiais –, possam todos os seres sencientes obter velozmente os quatro corpos de um buda.[44]

Sarvamangalam!

Notas

[1] *Buddhist Wisdom: The Diamond Sutra and The Heart Sutra*. Tradução e comentário de Edward Conze, prefácio de Judith Simmer-Brown. Nova York: Vintage Books, 2001, p. xxiii.

[2] Para mais informações sobre o uso do *Sutra do Coração* para superar obstáculos, ver Donald S. Lopez Jr., *Elaborations on Emptiness: Uses of the Heart Sutra*. Princeton NJ: Princeton University Press, 1998.

[3] Para um tratamento mais detalhado dos 12 elos, ver o comentário de Sua Santidade em *The Meaning of Life: Buddhist Perspectives on Cause and Effect*. Traduzido e editado por Jeffrey Hopkins. Boston: Wisdom Publications, 2000. Lançado no Brasil como *O Sentido da Vida*, São Paulo, Martins Fontes, 2001.

[4] As seis aflições primárias são apego, ira, orgulho, ignorância, visões aflitas e dúvida aflita. As vinte aflições derivadas são cólera, vingança, despeito, inveja e malícia, derivadas da ira; avareza, vaidade e excitação mental, derivadas do apego; dissimulação, obtusidade mental, infidelidade, procrastinação, esquecimento e desatenção, derivadas da ignorância; pretensão, desonestidade, falta de vergonha, desconsideração pelos outros, descuido e distração, derivadas tanto do apego quanto da ignorância.

[5] Shantideva, *Guide to the Bodhisattva's Way of Life*. Ver especialmente o capítulo 5.

[6] *Chatushatakashastrakarika*, 8:15. Para uma tradução alternativa desse verso, ver *Yogic Deeds of Bodhisattvas: Gyel-tsap on Aryadeva's Four Hundred*, por Geshe Sonam Rinchen. Ithaca: Snow Lion, 1994.

[7] As dez ações insalubres são: assassinato, roubo, má conduta sexual, mentira, calúnia, fala ríspida, fala fútil, cobiça, má vontade e defesa de visões erradas.

A Essência do Sutra do Coração

[8] Para uma breve explicação da contextualização da noção de ausência de identidade no sutra, ver o subitem intitulado *A Interpretação Mente Apenas* no capítulo 9.

[9] Para mais detalhes sobre esse tópico, ver o capítulo 11.

[10] Para uma tradução autorizada de alguns desses tratados fundamentais, ver *The Middle Lenght Discourses of the Buddha*, traduzido por Bhikkhu Nanamoli e Bikkhu Bodhi. Boston: Wisdom Publications, 1995.

[11] Essa tradução do *Sutra do Coração* é da versão tibetana, da edição usada por S.S. o Dalai Lama para sua preleção em Mountain View, Califórnia, em 2001. Naquele ensinamento, a tradução de John D. Dunne, efetuada a pedido da Wisdom Publications, foi impressa no livreto da programação. Neste livro, contudo, optei por fornecer minha própria tradução, de modo que a versão ficará mais compatível com o comentário do Dalai Lama. Ao fazer isso, consultei o breve comentário de Jamyang Galo (ver apêndice) visando introduzir entradas de parágrafo no texto tibetano, para auxiliar na fluência da tradução. Além disso, consultei a tradução de John D. Dune, e também a tradução muito anterior de Edward Conze, que há muito tempo ocupa um lugar especial em meu coração.

[12] Na tradição literária tibetana, os números dos segmentos são fornecidos no começo das escrituras, enquanto os nomes dos capítulos são dados no fim. O *Sutra do Coração* tem apenas um segmento. Para comentários sobre o costume tibetano de divisão das escrituras em segmentos, ver p. 66-67.

[13] Os oito interesses mundanos são, na verdade, quatro pares de interesses opostos. Ser maculado por eles significa ser motivado em qualquer ação pelo apego ao primeiro, ou pelo medo a seu oposto: ganho e perda, prazer e dor, renome e desonra, louvor e reprovação.

[14] De acordo com os Sutras do Mahayana, existem dez níveis de bodhisattva, começando quando o bodhisattva obtém insight direto da vacuidade no caminho da visão. O termo original em sânscrito, *bhumi*, significa literalmente a "base"; esses níveis são definidos em termos de

Notas

estágios progressivos no aprofundamento do insight do bodhisattva sobre a vacuidade.

[15] As seis perfeições (*paramitas*) são os treinamentos em generosidade, disciplina ética, paciência, esforço jubiloso, concentração e sabedoria.

[16] Os três ritos básicos de uma comunidade são: (1) as cerimônias confessionais bimensais, (2) o retiro de três meses na estação das chuvas, e (3) o final do retiro da estação das chuvas.

[17] Historicamente, as várias tradições do Vinaya evoluíram a partir de quatro divisões principais da escola budista mais antiga, chamada *Vaibhashika*. A tradição Theravada – que hoje floresce em países como Sri Lanka, Tailândia e Burma – e a tradição *Mulasarvastivada* da prática do Vinaya, seguida pelo Budismo Tibetano, eram duas das quatro subdivisões da primeira escola budista. A tradição Vinaya praticada no Budismo Chinês é a da escola *Dharmagupta*, um subconjunto de uma das quatro tradições da Vaibhashika. Além disso, o Vinaya Theravada baseia-se no *Patimokkha Sutta*, a "escritura da liberação individual", encontrada em linguagem páli, enquanto a tradição Vinaya Mulasarvastivada seguida pelos budistas tibetanos baseia-se na versão em sânscrito, o *Pratimoksha Sutra*. O texto em páli enumera 227 preceitos para um monge plenamente ordenado, ao passo que a lista na versão em sânscrito tem 253. Essa diferença deriva de uma maneira diferente de listar a quinta classe de preceitos secundários. Na tradição páli existem 75 itens na lista, enquanto na tradição sânscrita são 112.

[18] Chandrakirti, *Complemento para o Caminho do Meio*, 6:86. Para uma tradução alternativa desse verso, ver C. W. Huntington, *The Emptiness of Emptiness*. Honolulu: University of Hawaii, 1989. A palavra sânscrita *tirthikas* refere-se aqui aos proponentes das antigas escolas indianas não budistas.

[19] Para uma explicação mais extensa da relação entre causas e efeitos, ver *The Great Treatise on the Stages of the Path to Enlightenment*, de Tsongkhapa. Ithaca: Snow Lion, 2000, p. 209-214.

A Essência do Sutra do Coração

[20] Visando apoiar normas éticas sobre o que adotar e o que evitar, a Escola Mente Apenas desenvolveu uma complexa teoria sobre como nossas percepções do mundo surgem de propensões que existem em nós naturalmente. Alguns textos mencionam até quinze dessas propensões, mas todas elas estão incluídas em quatro propensões primárias: (1) para perceber e acreditar em uma realidade objetiva; (2) para perceber similaridades: (3) para a existência não iluminada; (4) para a linguagem. A Escola Mente Apenas assegura que essas propensões básicas surgem das marcas de nossa antiga maneira habitual de ver o mundo, e que elas governam nossa experiência cotidiana. Quando olhamos para uma cadeira, por exemplo, percebemos que "esse objeto é uma cadeira". Essa percepção personifica nossa propensão para ver similaridades. Mas o objeto não aparece apenas como uma cadeira; aparece também como base para a palavra "cadeira". Esse aspecto de nossa percepção manifesta nossa propensão para a linguagem. Ambos os aspectos de nossa percepção são válidos. Contudo, o terceiro aspecto dessa percepção é que o objeto é o referente do termo "cadeira" em um sentido objetivo e substancial, como se a cadeira possuísse um status independente. A Escola Mente Apenas sustenta que essa propensão para acreditar na existência objetiva da cadeira é falsa. A partir disso podemos ver que uma única experiência de percepção, tal como olhar uma cadeira, tem diferentes aspectos, alguns dos quais são válidos e outros inválidos. A Escola Mente Apenas diz que os aspectos válidos podem servir de base para apoiar os ensinamentos éticos do Buda sobre o que adotar e o que evitar.

[21] Sobre os problemas que cercam a identificação da fonte escritural dessa declaração muito citada, ver minha nota 15 em *The World of Tibetan Buddhism*, de Sua Santidade o Dalai Lama. Boston: Wisdom Publications, 1994, p. 160. Lançado no Brasil como *O Mundo do Budismo Tibetano,* Rio de Janeiro, Nova Fronteira, 2001.

[22] Essa passagem do sutra é citada frequentemente nas obras de Tsongkhapa sobre a visão da vacuidade pelo Caminho do Meio.

[23] Na prática de meditação Vajrayana, é enfatizado que, quando se medita sobre a vacuidade no contexto da yoga da deidade, é importan-

te escolher uma base para a meditação. Essa base pode ser o aspecto da mente que manterá sua continuidade ao longo das vidas de um indivíduo até que alcance a iluminação. O fato de que a mente prosseguirá no estágio da iluminação é um dos principais motivos para a mente ser frequentemente enfatizada como foco da meditação sobre a vacuidade. Também é assim em outras práticas, tais como Mahamudra e Dzogchen, onde o foco principal da meditação sobre a vacuidade é a mente do indivíduo.

[24] Nagarjuna, *Fundamentos do Caminho do Meio*, 24:8. Para uma tradução alternativa desse verso, ver Frederick J. Streng, *Emptiness: A Study in Religious Meaning.* Nashville: Abingdon Press, 1967, p. 213.

[25] Nagarjuna, *Fundamentos do Caminho do Meio,* 1:1-2.

[26] Para uma lista detalhada e a explicação dos dezoito elementos, ver Sua Santidade o Dalai Lama, *Opening the Eye of New Awareness* (Boston: Wisdom Publications, 1999), p. 32-34.

[27] Nagarjuna, *Fundamentos do Caminho do Meio*, 18:5. Para uma tradução alternativa, ver Frederick J. Streng, op. cit., p. 204.

[28] Tsongkhapa, *Em Louvor à Originação Dependente*, vv. 45-46. Para uma tradução alternativa, ver *Splendor of an Autumn Moon*, traduzido por Gavin Kilty. Boston: Wisdom Publications, 2001, p. 239.

[29] Capítulo 2 ("Pramanasiddhi"), verso 130b.

[30] Shantideva, *Guia para o Modo de Vida do Bodhisattva*, 8:157. Para uma tradução alternativa, ver Shantideva, *The Bodhicaryavatara*. Nova York: Oxford University Press, 1966, p. 102.

[31] A versão do texto de Jamyang Galo, sobre a qual se baseia esta tradução, é uma cópia manuscrita impressa em estêncil em Buxar pelo mosteiro de Drepung Loseling. É também a mesma versão da coleção PL480 da Biblioteca do Congresso dos Estados Unidos, onde está listada sob o número 90-915034. Certas partes dessa edição parecem ter a ortografia adulterada e, em uns poucos casos, possíveis omissões. Em minhas notas, identificarei aquelas que detectar. Contudo, até que seja localizada uma edição do texto mais confiável e, de preferência mais antiga,

em madeira, todas as minhas sugestões de correção devem permanecer provisórias.

[32] No texto tibetano, esse tópico aparece como "O deleite dos membros da assembleia e um conselho (*gdams pa*) de apoio". Mais adiante no texto, onde essa seção de fato aparece, está listada como "seu voto (*dam bca'ba*) de apoio". Essa segunda grafia combina com a leitura do autor a respeito da seção específica do *Sutra do Coração*. Assim, acho que o uso da palavra "conselho" (*gdams pa*) aqui é erro do copista ou lapso do próprio autor.

[33] No texto tibetano, segue-se um tópico que diz: "O terceiro é" (*gsum pa ni*). Creio que isso é um erro, pois o que se segue no texto é um evidente detalhamento da declaração do resumo que o precede imediatamente.

[34] Isso é uma paráfrase da conhecidíssima passagem do *Sutra do Coração*: "Forma é vacuidade; vacuidade é forma. Vacuidade não é outra coisa senão forma; forma também não é outra coisa senão vacuidade".

[35] Esse texto é listado no *Tengyur* como *Uma Exposição do Coração da Sabedoria Bem Explicada por Lekpai Sherap com Base na Suplicação do Mestre Dipamkara Shrijnana,* Beijing 5222, Tohoku 3823.

[36] O título completo do comentário de Vimalamitra é *Exposição Extensiva do Coração da Perfeição da Sabedoria em Oito Pontos*, Beijing 5217, Tohoku 3818.

[37] No texto tibetano, em várias ocasiões, a expressão *mnyam gzhag de'i gzigs ngor* (dentro da perspectiva desse equilíbrio meditativo) foi erroneamente grafada como *mnyam gzhag de'i gzugs kyi ngor* (na superfície da forma do equilíbrio meditativo), o que não parece fazer sentido.

[38] Essa é provavelmente uma referência ao erudito Rongton Shakya Gyaltsen (1367-1449), da linhagem Sakya. Até aqui não obtive êxito em localizar o comentário de Rongton sobre o *Sutra do Coração*.

[39] "Nirvana não permanente" é um epíteto para o nirvana de pleno despertar do Buda. É assim chamado porque não permanece nos extremos

Notas

nem da existência samsárica não iluminada, nem da paz isolada e iluminada do nirvana individualista.

[40] São eles: (1) a "grande mente", que se refere à mente altruística do Buda, (2) a "grande superação", que se refere à superação do apego à autoexistência das pessoas e dos fenômenos, (3) a "grande realização" – a sabedoria não contaminada, onisciente dos budas. Eles estão listados no *Ornamento da Realização Clara* de Maitreya como os "três grandes objetivos" (*ched du bya ba chen po gsum*).

[41] Um epíteto para o bodhisattva Avalokisteshavara.

[42] No texto tibetano, na última linha dessa estrofe lê-se *nam yang ngoms pa med pa'i bshes gnyen dag*. Isso parece estar adulterado ou, se correto, sugere que existe pelo menos mais uma estrofe. Esse é um tema que não pode ser resolvido até que tenhamos acesso a outra edição do texto. Nesse ínterim, para que faça sentido, eu li a última linha como *nam yang ngoms pa med pa'i dpal thob shog*.

[43] Beijing 5221. O autor do catálogo Derge, Zhuchen Tsultrim Rinchen, lista esse texto como "atribuído a Kamalashila".

[44] Essa provavelmente é uma nota inserida pelo próprio copista, o monge Ngawang Chogyal, de Drepung. Infelizmente, ele não nos informa de que edição do texto ele copiou, informação que teria sido muitíssimo útil para futuros editores.

Bibliografia

CONZE, Edward, tradução e comentário. *Buddhist Wisdom: The Diamond Sutra and the Heart Sutra.* Nova York: Vintage Books, 2001.

GYATSO, Tenzin, o 14º Dalai Lama. *The Meaning of Life: Buddhist Perspectives on Cause and Effect.* Traduzido e editado por Jeffrey Hopkins. Boston: Wisdom Publications, 2000. Lançado no Brasil como *O Sentido da Vida.* São Paulo: Martins Fontes, 2001.

_____. *Opening the Eye of New Awareness.* Tradução e prefácio de Donald S. Lopez Jr. Boston: Wisdom Publications, 1999.

_____. *The World of Tibetan Buddhism.* Tradução e edição de Geshe Thupten Jinpa. Boston: Wisdom Publications, 1994. Lançado no Brasil como *O Mundo do Budismo Tibetano.* Rio de Janeiro: Nova Fronteira, 2001.

HOPKINS, Jeffrey. *Meditation on Emptiness.* Boston: Wisdom Publications, 1996.

HUNTINGTON JR., C.W., com Geshe Namgyal Wangchen, *The Emptiness of Emptiness.* Honolulu: University of Hawaii, 1989.

JINPA, Thupten. *Self, Reality and Reason in Tibetan Philosophy: Tsongkhapa's Quest for the Middle Way.* Londres e Nova York: Routledge Curzon, 2002.

LOPEZ JR., Donald S. *Elaborations on Emptiness: Uses of the Heart Sutra.* Princeton NJ: Princeton University Press, 1998.

NANAMOLI, Bhikkhu e Bhikkhu Bodhi, tradução. *The Middle Lenght Discourses of the Buddha.* Boston: Wisdom Publications, 1995.

RINCHEN, Geshe Sonam. *Yogic Deeds of Bodhisattvas: Gyel-tsap on Aryadeva's Four Hundred.* Tradução e edição de Ruth Sonam. Ithaca: Snow Lion, 1994.

SHANTIDEVA. *The Bodhicaryavatara*. Tradução, com introdução e notas de Kate Crosby e Andrew Skilton. Nova York: Oxford University Press, 1996.

_____. *The Way of the Bodhisattva: A Translation of the Bodhicaryavatara*. Traduzido pelo Comitê de Tradução Padmakara. Boston: Shambala, 1997.

STRENG, Frederick J. *Emptiness: A Study in Religious Meaning.* Nashville: Abingdon Press, 1967.

TSONGKHAPA. *The Great Treatise on the Stages of the Path to Enlightenment.* Traduzido pelo Comitê de Tradução Lamrim. Ithaca: Snow Lion, 2000.

_____. *The Splendor of an Autumn Moon: The Devotional Verse of Tsongkhapa.* Tradução e prefácio de Gavin Kilty. Boston: Wisdom Publications, 2001.

Índice

A
a prática de dar e receber 130
abordagem gradativa 125
aflições 39-40, 42-45, 49, 67, 86, 88, 91-92, 98, 103, 115-116, 119, 125, 127, 147
alaya vijnana 95
apresentação quádrupla da vacuidade 118
Aryadeva 45, 147, 155
as quatro nobres verdades 34, 37, 56, 141
ausência do eu 81-89, 92
ausência do eu da pessoa 92
ausência do eu dos fenômenos 92
Avalokiteshvara 61-62, 71, 73-75, 77-78, 82, 104-105, 119-120, 136-138, 143
axiomas 84, 88

B
Bhavaviveka 48, 52, 99-100
bodhichitta 8-10, 56, 81, 118, 125-132
bodhisattva 48, 52, 61-63, 66, 73-75, 77-79, 81, 116, 118-120, 123, 125-126, 129, 131-132, 136-138, 141-143, 147-149, 151, 153, 156
Buda Shakyamuni 17, 22, 29, 32, 49, 67, 70-71, 129, 133
Buddhapalita 99-100
Budismo 11-12, 15, 17, 22, 24-25, 28-29, 31-35, 37, 39, 41, 43, 45, 53, 55, 57, 63-66, 70-71, 76, 84-88, 96, 108, 133, 149-150, 155 *Ver também*
  religião; Budismo Tibetano
Budismo Tibetano 17, 63-64, 71, 76, 96, 108, 133, 149-150, 155
  Ver também Budismo

C
caminho da acumulação 118, 137-138, 142
caminho da meditação 118, 137, 139, 141-142
Caminho e Fruição 108
características específicas 31, 111
causa e efeito 37, 42, 94, 106, 125-126
  Ver também karma
causalidade 37, 82, 85, 88, 105
Cem Mil Versos sobre a Perfeição da Sabedoria 97
Chandrakirti 42, 87, 99-100, 149
ciclo da existência 43, 114 *Ver também* samsara; sofrimento e compaixão
cinco agregados 13, 56, 61, 73-74, 78-79, 82, 101, 104, 109, 113, 136, 138, 140-141
cinco estágios do caminho para o estado de buda 118
cinco faculdades 36, 113
cinco poderes 36
Coleção de Louvores 57
compaixão 12, 19-20, 22-24, 28, 50-51, 53, 55-56, 73-75, 119, 125-127, 129-131
Ver também sofrimento e
  compaixão
Compêndio dos Feitos 101
Compêndio dos Sutras 101
Complemento para o Caminho do Meio 87, 100, 149
consciência fundamental 95
continuum da consciência 49

D
destruição 49
dez ações insalubres 45, 147

157

dez níveis de bodhisattva 148
dezessete escrituras mãe e filho 64
dezoito elementos 113, 140-141, 151
Dharmakirti 128
discriminação baseada no sexo 76
dor 17, 23, 27-28, 31-33, 39, 53-55, 57, 75, 82, 87, 99-100, 111, 135, 144, 148
   Ver também sofrimento e compaixão
doutrina do não eu 82, 84
doze elos da originação dependente 37-39, 114
duas maneiras de ser vazio 106
duas verdades 104, 107-108, 138

E

empatia 53, 55, 126-127, 130   Ver também compaixão
ensinamentos do Theravada 57
ensinamentos do Vinaya 75-76
ensinamentos éticos 21-22, 76, 150
ensinamentos morais 33
Escola do Caminho do Meio 77, 87, 92, 96-99
Escola Madhyamaka Prasangika 102, 109
Ver também Escola do Caminho do Meio
Escola Mente Apenas 77, 87, 92-97, 150
Escola Sakya 108
Essência do Caminho do Meio 48
eu 8-9, 12, 18, 21, 26-27, 33, 42-45, 50, 61, 64, 67, 72, 78-79, 81-85, 87, 89, 91-95, 99, 102-103, 106, 126, 128-130, 136, 144, 153
existência 12-13, 20, 23-24, 28, 31-32, 38-39, 41, 43-45, 47-49, 55-56, 61, 73-74, 76-79, 82-84, 86, 88-89, 94-95, 97-108, 111, 113-115, 117, 119, 125, 130, 136, 138, 141, 150, 153
   Ver também existência intrínseca
existência iluminada 38
existência independente 38, 105
existência intrínseca 13, 56, 61, 73-74, 77-79, 82, 89, 97, 99-104, 106-108, 111, 113-115, 119, 136, 138, 141   Ver também existência
existência não iluminada 38-39, 43-44, 55, 88, 114, 117, 150

F

felicidade 19-21, 25, 34, 39, 43-44, 82, 87, 89, 127-129, 131
fenômenos 35, 37-38, 41, 43, 48, 56, 61, 67-69, 74, 78-79, 84-86, 88-89, 92, 94, 97-98, 100-101, 105, 107-111, 113, 118, 120, 136, 138-140, 153
fenômenos contaminados são insatisfatórios 84, 86, 88
forma é vacuidade, vacuidade é forma 61, 78, 104, 118
Fundamentos do Caminho do Meio 51, 99-101, 107, 110, 115, 151

G

Grande Veículo 7-8, 47-49, 51, 137
Guia para o Modo de Vida do Bodhisattva 48, 129, 151
Guirlanda Preciosa 48, 129

I

ignorância 17, 37-39, 42-45, 55, 62, 86, 88-89, 103, 111, 113-115, 118, 140-141, 147
iluminação 12, 33-35, 37, 48-49, 56, 62, 68, 71, 73, 75, 77, 91, 101, 115-118, 125, 128-130, 143, 151
impermanência 45, 86-87, 110
infelicidade 19, 39-40, 54
interpretação da vacuidade 9, 91, 93, 95, 97, 99, 101

K

karma 42-44, 71, 86-88, 115
   Ver também causa e efeito

Índice

L
Lamdre 50, 108   Ver também Caminho e Fruição

M
Mahayana 7, 11-14, 47-53, 57, 66, 77, 148   Ver também Grande Veículo
Maitreya 48, 52, 57, 153
mantra 9, 62, 78, 103, 116-119, 137, 142-143
mantra da Perfeição da Sabedoria 62, 116-117, 119, 142
mente onisciente 66, 68, 119, 125
método dos sete pontos de causa e efeito 10, 126
mudança 54, 85-87, 105   Ver também impermanência

N
Nagarjuna 48-52, 57, 70, 99-101, 107, 110-111, 115, 129, 151
Nagarjuna e o Grande Veículo 8, 48   Ver também Fundamentos do Caminho do Meio; Guirlanda Preciosa
não existência 48, 106   Ver também existência
não permanente 141, 152
natural 25, 35-36, 49, 67-68, 77, 83, 87, 89, 92, 115, 125, 150
natureza absoluta 51, 56, 94, 107, 109, 115, 138
natureza de buda 8, 47, 57, 75, 77, 115
natureza de clara luz da mente 77   Ver também natureza de buda
natureza dependente 94
natureza imputada 94
niilismo 47-48, 94, 108, 138
nirvana 45, 48-49, 55, 62, 77, 84, 89, 114-115, 117-118, 141, 152-153
nível de buda 116
nobre caminho óctuplo 36
nobres filhos e nobres filhas 75, 78

O
o caminho do bodhisattva 75, 77
o método dos sete pontos de causa e efeito 10, 126
originação dependente 37-39, 44, 101, 106, 108, 110, 114, 140-141, 151
os quatro selos 84

P
prática de dar e receber 130

Q
quatro propensões 95, 150

R
religião 7, 18-19, 21, 23-27, 29, 31, 134

S
samsara 44, 88, 117
seguidores da escritura 95
sete ramificações da iluminação 37
Shantideva 40, 48, 100-101, 129, 147, 151
sofrimento e compaixão 8, 53
status existencial dos fenômenos 101

T
tradições do Budismo 133

V
vacuidade 9, 12-13, 28, 37-38, 42-45, 47-48, 50, 56-57, 61-62, 64, 68, 74, 77-79, 81-82, 88, 91-92, 94, 97-111, 113-120, 125, 129-130, 138-140, 142, 148-152

Z
zelar por si mesmo versus zelar pelos outros 129

37 aspectos do caminho para a iluminação 48, 101

159

GRÁFICA PAYM
Tel. [11] 4392-3344
paym@graficapaym.com.br